スペース・コロニー　宇宙で暮らす方法

向井千秋　監修・著

東京理科大学
スペース・コロニー研究センター　編・著

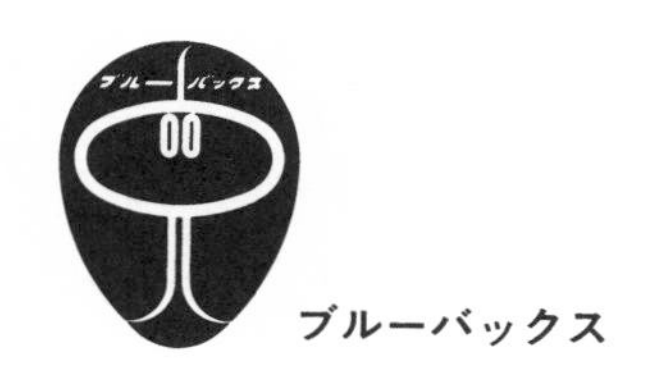

ブルーバックス

カバー装幀／芦澤泰偉・児崎雅淑
カバー写真／janiecbros（gettyimages）
本文・図版デザイン／浅妻健司

まえがき

〝宇宙から地球が見たい！〟と思い宇宙飛行士への道を目指した。自然界の壮大な景色を見ることで視野が広がり、思慮深くなるのではないかと思った。

1983年の秋の頃だ。

宇宙開発は大国アメリカ、ロシア（当時のソビエト連邦）のみが国威発揚で行っているのだろうと思っていた私にとって、日本人が宇宙飛行をし、その環境を利用した技術開発や研究活動ができる時代が到来したことに感激した。20世紀の科学技術の進歩のおかげで人類は地球上の移動のみならず、地球周回軌道にまでも行動範囲を展開していける時代に生きていることに興奮した。それから38年、今や新たな興奮が沸き起こってきている。地球周回軌道以遠への有人宇宙探査計画が進行しつつあるのだ。アメリカが提唱するアルテミス計画では2024年にアメリカ人の男女の月面着陸を目指している。昨年（2020年）5月に、SpaceX社が民間初の有人輸送システムによる国際宇宙ステーションへの試験飛行を行い、その成功を受けて11月に、運用第一号機にJAXAの野口聡一飛行士が搭乗して無事宇宙ステーションに到着した。今後、民間企業の宇宙開発へのさらなる参画も大いに期待でき、今や月・火星への民間宇宙旅行も夢ではない時代に私たちは生きている。

一方、宇宙でも地球でも生命圏を拡大し安全・安心な生活を確立するうえで、医学研究や医療技術開発が必須であることに変わりはない。むしろ宇宙飛行を安全に行うために医学が果たす役割は大きく、有人宇宙飛行が始まった当初から生理的対策、精神心理支援、宇宙放射線被曝管理、宇宙船内環境整備、遠隔医療技術開発などが進められてきた。また、これまでの地球を周回する低軌道での宇宙飛行で培った成果をもとに、月や火星有人探査に必要な医学研究も始まっている。さらに、職業宇宙飛行士だけではなく、一般の老若男女が宇宙旅行を楽しめるようにするための医療技術の開発も新たに求められている。また、宇宙滞在技術の高度化や自律化を目指して、食料、エネルギー、水・空気再生技術、QOL（Quality of Life）向上等の研究が始動しており、月面基地、火星都市、スペース・コロニー構想などもすでに夢物語ではない。

では、スペース・コロニーとはいったいどんなものなのか。スペース・コロニー構想が提唱された当初は、宇宙空間に建設された人工の居住地のことだった。しかし、現在は広い意味で、月や惑星上の居住施設もその定義に含まれている。

多くの宇宙飛行士たちが地球を目の当たりにして語る、「宇宙から見たら国境はない」という言葉に象徴されるように、我々の生息する地球環境は「one earth」としてとらえざるを得ないほどグローバル化が進んできている。また、住処としての地球やその資源は有限なのだ。気候変動に誘発される自然災害の増加や新型コロナウイルスのパンデミック感染、そして、分断・孤立・格差による都市構造や人間社会の脆弱化など、現代の社会課題は単一ではなく複合的で、人類全体が協力して解決すべき課題に発展してきている。限りある資源を共有し、繁栄を持続可能にするためには、生命圏の拡大と人類の融和が必要である。究極の閉鎖空間である宇宙都市をモデルとして、より良い未来都市や社会構造を構築する基盤研究を促進することは、地球上で命輝き・尊厳ある持続可能な社会を構築していくうえでも意義のあることと思う。

私が本書を通して読者の皆さんにお伝えしたいのは、我々が今研究に取り組んでいるスペース・コロニーは、地球の縮図と考えることができ、人類がスペース・コロニーで生活できるような環境制御技術を確立できれば、それは地球環境の保全にも必ずや役に立つだろうということである。

本書は、東京理科大学スペース・コロニー研究センターの活動の紹介を主題として、人類がどのようにして宇宙に進出できるようになったのか、宇宙飛行を通して見つかった課題とは何か、宇宙技術を社会生活に生かしていくにはどうすればよいか、などについてもできるだけわかりやすい記述による説明をこころみた。本書の構成を簡単にご紹介すると次のとおりである。

第1章では、これまでの有人宇宙飛行でわかった宇宙に関する新たな事実や、民間IT企業の参入などにより現在脚光を浴びつつある月や火星への有人宇宙プロジェクトと、スペース・コロニー研究センターの活動の概要などを紹介する。第2章では、宇宙に長期滞在することの難しさと、それを克服するための対策などについて説明する。第3章から第6章にかけては、スペース・コロニー研究の4つの分野における活動内容を、それぞれの研究者の生(なま)の声で詳しく解説している。最後に「人類の未来に向けて」と題して、これまでSFの世界だったことが、今や一般の人でももうすぐ宇宙に行けるようになってきた現実と、スペース・コロニー研究を通して我々が提唱している「デュアル開発」の期待される成果について述べる。

本書を通して、夢やロマンを持つ研究者や技術者が宇宙開発技術を地球社会に実装しつつ生命圏を拡大しようとしていることを、読者の皆さんに知っていただければ幸いである。

２０２１年４月

向井千秋

目次

第4章 宇宙農業への挑戦——スペースアグリ技術 129

第1章

人が宇宙で暮らす時代が始まっている!

SF映画やアニメの中に登場するスペース・コロニー。物語の中では、宇宙空間に浮かぶ巨大なコロニーの中で、多くの人が生活を営んでいます。このスペース・コロニー実現に向けて、いま世界が動き始めているのです。

スペース・コロニーを実現するために、現在、どのようなプロジェクトが進められているのか？　そのためには、どんな技術が必要なのか？　そしてそこで何を行うことができるのか？

この本ではそれらを皆さんに知ってもらい、一緒に考えていきたいと思います。

まず、スペース・コロニーについて解説していく前に、これまでの人類の宇宙開発の歴史を振り返ってみましょう。

1-1 宇宙に飛び出した人類

人類が最初に宇宙に打ち上げた物体は、わずか84kg足らずの「スプートニク1号」（写真1-

1）と呼ばれるソビエト連邦（当時）の小さな人工衛星でした。この人工衛星は1957年10月4日に打ち上げられ、92日間地球を周回したのち大気圏に突入し、消滅しました。

ところが驚くべきことに、そのわずか3年半後の1961年4月12日には、人間はみずからが宇宙空間に飛び出したのです。ここでいう宇宙空間とは、地球の大気圏よりも外に広がる空間領域で、一般的には地表から100kmを超える場所のことをいいます。

最初に宇宙空間に到達した人類は、ソビエト連邦のガガーリン少佐（当時、写真1－2）でした。ガガーリンによるこの快挙は、世の賞賛を受け、彼は日本を含む世界各国を凱旋訪問し歓迎されました。最初の人工衛星打ち上げからたった3年半という、きわめて短い期間で人類初の宇宙飛行が実現できた背景には、当時、米国とソビエト連邦が国家の威信をかけ、宇宙開発を競っていたという事情もあったといえます。

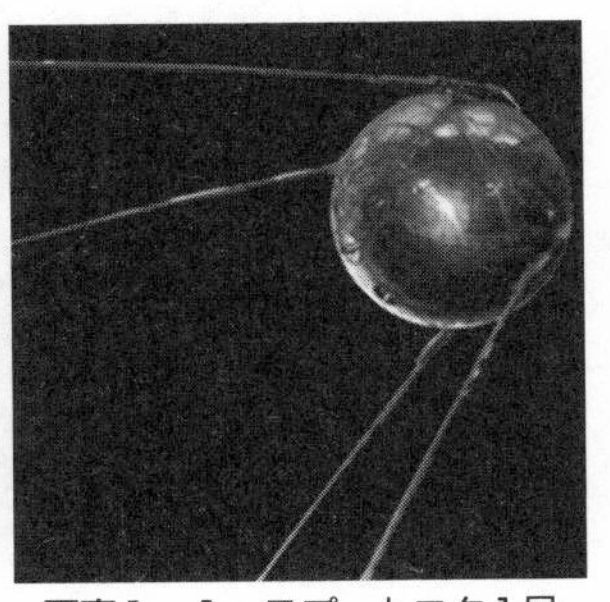
写真1－1　スプートニク1号

写真1－2　ガガーリン少佐

有人宇宙活動とは、ロケットや人工衛星の打ち上げ・運用のような、地上からの遠隔運用とは異なり、人間が実際に宇宙に飛び出して行うさまざまな活動のことをさします。

宇宙飛行士が本格的に宇宙空間で活躍しだしたのは、米国のアポロ計画とソビエト連邦の「サリュート（宇宙ステーション）計画」からです。全長111mにおよぶサターン5型ロケットで打ち上げられたアポロ宇宙船は、人類の活動領域を月面にまで広げました。一方、サリュート計画は、たび重なる事故や失敗に見舞われながらも7号機まで継続され、70人以上の飛行士を宇宙に送り出し、さまざまな科学実験や研究を行いました。さらに1970年代に入ると、米国はアポロ計画の後継ミッションとして、サターン5型ロケットの第3段を改造した「スカイラブ宇宙ステーション」を打ち上げ、無重力環境での宇宙実験を行って

写真1－3
サターン5型ロケット

写真1－4
スカイラブ宇宙ステーション

（写真ともに：NASA）

います。

１９８０年代に入ると、有人宇宙活動の舞台となったのは、米国のスペースシャトルとロシアのミール宇宙ステーションです。

スペースシャトルには、「スペースラブ」とよばれる欧州製の宇宙実験室を搭載することができ、多国間の研究協力を推進することにより数々の宇宙実験を行いました。スペースラブは、直径約４ｍの円筒形をした与圧モジュールと、宇宙空間に曝露されたパレットの２つの区画から構成されるもので、スペースシャトルの貨物室内に収容されて宇宙に運ばれます。宇宙飛行士は、実験室内に設置された装置を用いて、さまざまな宇宙実験を行うことができました。

日本人宇宙飛行士の毛利衛さんや本書の筆者でもある向井千秋さんが最初に搭乗したのも、このスペースラブを搭

写真１－５　スペースラブ（模型）
（写真：ESA）

写真１－６
スペースシャトル
（NASA）

載したスペースシャトルでした。

他方のミール宇宙ステーションでは、１年を超える宇宙飛行士の長期滞在実験を行っています。この長期滞在実験によって宇宙環境の人体への影響が詳細にわかることになりました。また、ミール宇宙ステーションでは、民間人を有償で宇宙に連れていくなど、宇宙の商業利用の先駆けとなるミッションも行われました。

国際宇宙ステーション（ＩＳＳ）の軌道上組み立てが始まると、スペースシャトルはＩＳＳの建設に必要な物資やクルーの輸送のために、のべ39回にわたり地上と宇宙を行き来することになりました。まさに、シャトルの名にふさわしい活躍だといえます。そのスペースシャトルも２０１１年７月、１３５回目の飛行をもって全運用を終了しました。

ミール宇宙ステーションも、２００１年3月23日にミッションを終えて、国際宇宙ステーションにそのあとを譲るように大気圏に再突入し燃え尽きています。

写真１－７
ミール宇宙ステーション
(NASA)

現在運用中のＩＳＳは、米国、ロシア、日本、カナダ、および欧州宇宙機関（ＥＳＡ）が建設した宇宙に浮かぶ実験施設で、１９９８年の組み立て開始から23年の長きにわたって地球の上空を周回しながら、科学実験、教育や商業活動、および将来の月・火星ミッションに備えた技術検証の場として幅広く利用されています。

ここで少し触れておきたいことがＩＳＳと本書のテーマである、スペース・コロニーのいちばんの違いはなにか、という点です。ＩＳＳが地球近傍（高度４００㎞の低軌道）にあって地上からの物資の補給が比較的容易なのに対し、スペース・コロニーは、月を含む深宇宙（地球から数十万㎞以上離れた宇宙空間）において、なかば地産地消の生活を営まなければならないことだといえるでしょう。

ここまで宇宙開発の歴史を振り返ってみましたが、時代を経るとともに宇宙飛行士の役割が、多様化かつ細分化してきているということがおわかりいただけると思います。もともとは宇宙船を運航するための船長やパイロットであったものが、その後、宇宙での実験を遂行するためのスペシャリストや科学者となり、さらに現在では、一般の民間人も宇宙に出ていけるよ

写真1－8　国際宇宙ステーション
（NASA）

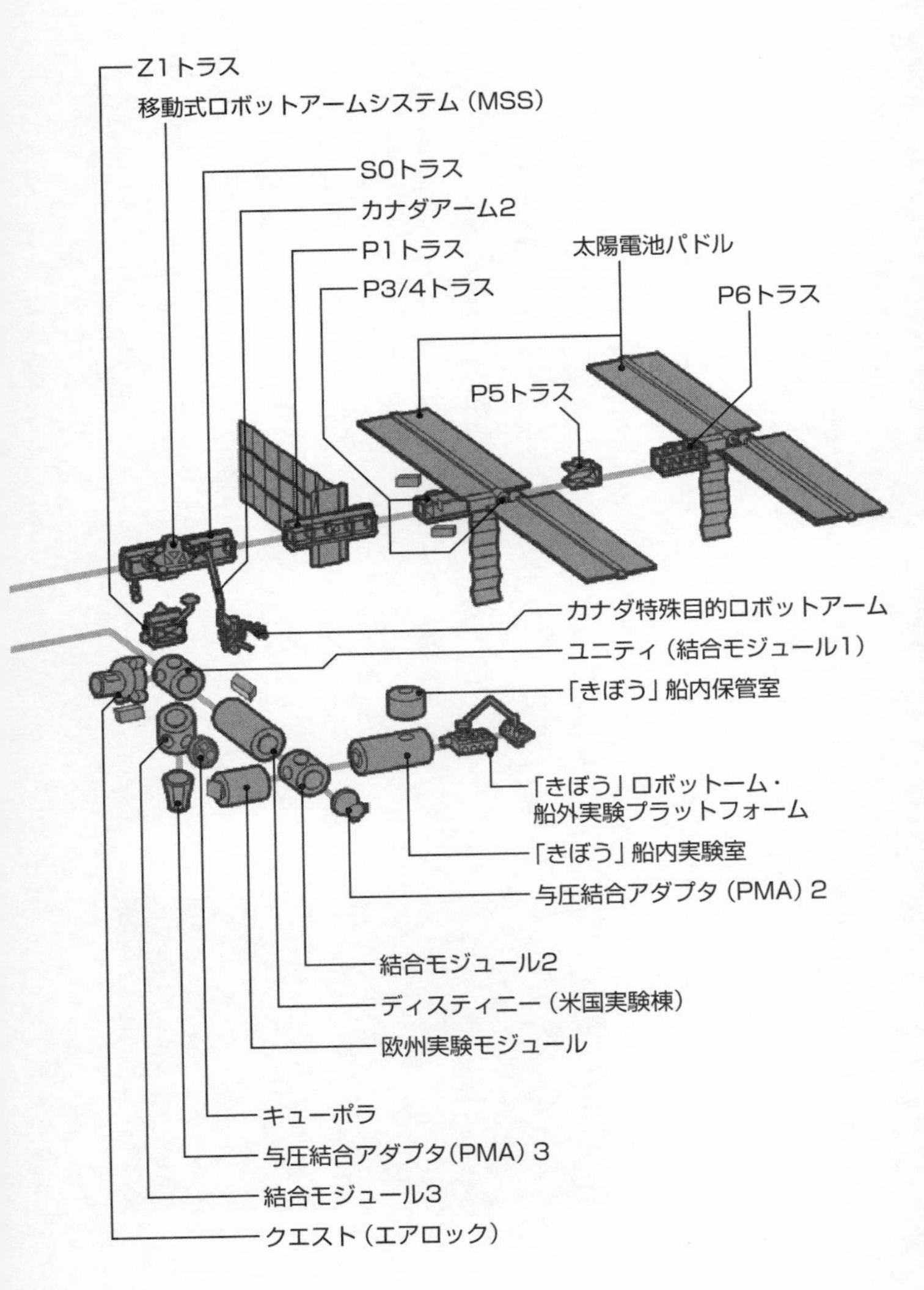

Z1トラス
移動式ロボットアームシステム（MSS）
S0トラス
カナダアーム2
P1トラス
P3/4トラス
太陽電池パドル
P6トラス
P5トラス
カナダ特殊目的ロボットアーム
ユニティ（結合モジュール1）
「きぼう」船内保管室
「きぼう」ロボットーム・
船外実験プラットフォーム
「きぼう」船内実験室
与圧結合アダプタ（PMA）2
結合モジュール2
ディスティニー（米国実験棟）
欧州実験モジュール
キューポラ
与圧結合アダプタ（PMA）3
結合モジュール3
クエスト（エアロック）

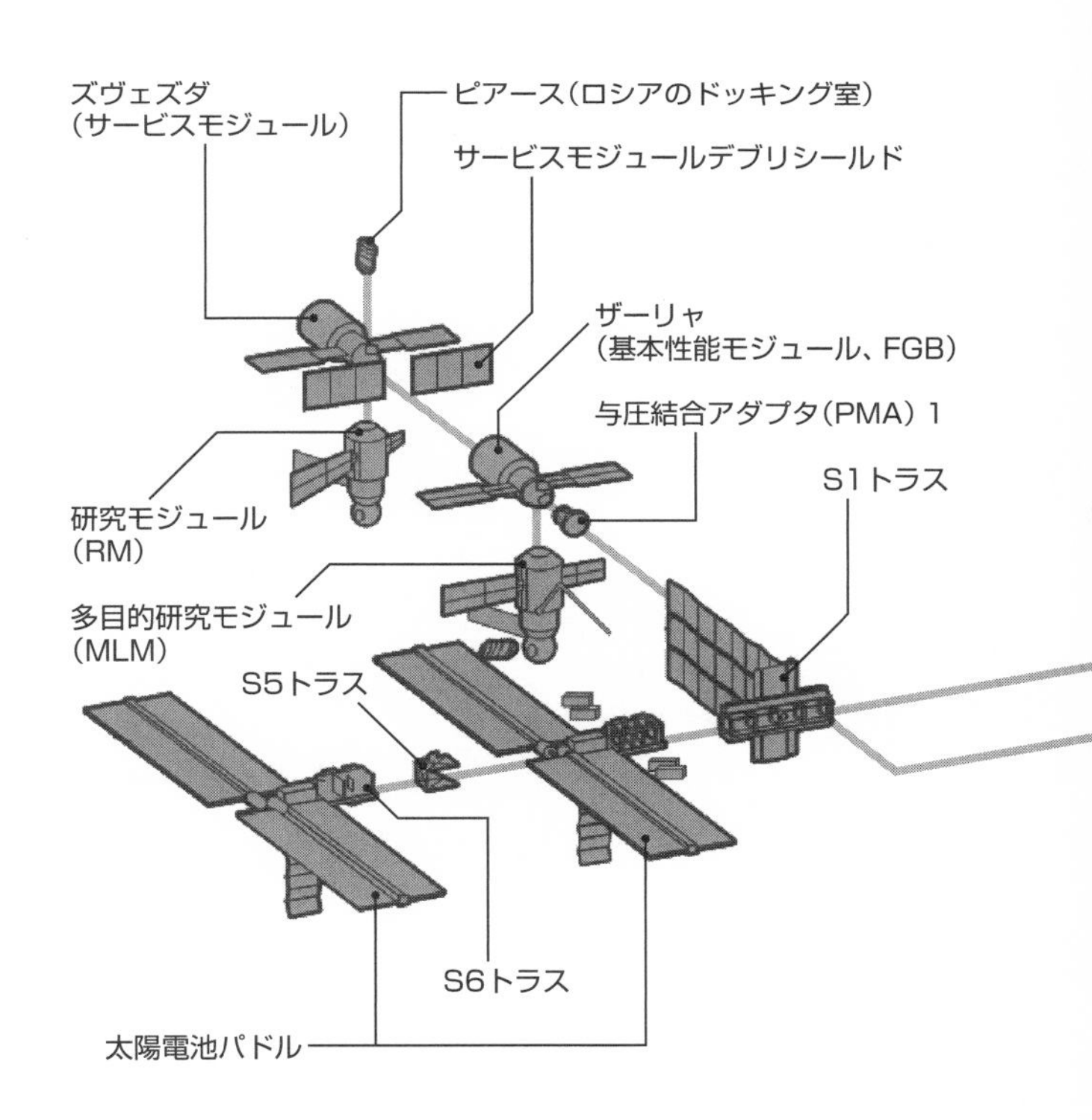

図1－1　ISS構成要素の俯瞰図（NASA）

うになったのです。

ここからは、現在どのような有人宇宙活動が行われているかについても見ていきたいと思います。

スペースシャトル運用終了後の有人宇宙活動を支えているのは、前述のとおりＩＳＳです。ＩＳＳはもともと、高度４００㎞の宇宙環境を利用して、地上ではできないさまざまな実験を行うために、世界の15ヵ国が共同で開発した「宇宙実験室」です。ＩＳＳを構成する要素は、この計画に参加する宇宙機関である米国航空宇宙局（ＮＡＳＡ）、日本の宇宙航空研究開発機構（ＪＡＸＡ）、欧州宇宙機関（ＥＳＡ）、カナダ宇宙機関（ＣＳＡ）、およびロシア連邦宇宙局（ＲＯＳＣＯＳＭＯＳ）が、それぞれ提供しています。

図１−１は、ＩＳＳを要素ごとに分解して見た俯瞰図（ふかんず）です。全長１０８ｍのトラスと呼ばれる構造体に、実験モジュールや太陽電池パネルなどの各種構成要素が取り付けられてできていることがわかります。その構成要素は、大きく以下のように分類されます。
●ＮＡＳＡの提供した構成要素：トラス構造、太陽電池パネル、ラジエータ、ノード（ドッキングのためのハブ）、U.S. Lab（実験室）
●ＪＡＸＡの提供した構成要素：Japanese Experiment Module（きぼう）

●ESAの提供した構成要素：Columbus Orbital Facility（コロンバスモジュール）
●CSAの提供した構成要素：Canadian Robotic Arm（カナダアーム）
●ROSCOSMOSの提供した構成要素：Functional Cargo Block（ザーリャ）、Service Module（ズヴェズダ）、Mini-Research Module

さらに宇宙機関以外からも、米国のベンチャー企業である「Bigelow Aerospace」が開発した「Bigelow Expandable Activity Module」（拡張可能モジュール）が、図1－1の中央にある結合モジュール（ノード3：ＩＳＳに２０１０年2月に接合された「トランキリティー」とよばれるモジュール）に取り付けられ、２年間にわたる宇宙での実証実験を行っています。これは宇宙開発の歴史の中でも、異色なことだといえるでしょう。

それでは、このＩＳＳを利用して、今どのような有人宇宙活動が行われているのかを、ＪＡＸＡが運用している日本の実験棟「きぼう」（写真1－9）を例にとって説明していきます。「きぼう」は、船内実験室、船内保管室、船外実験プラットフォーム、船外パレット、ロボットアーム、衛星間通信システムの6つの要素から構成されます。このうち船内実験室は宇宙飛行士が地上と同じような軽装で活動できる空間で、微小重力科学、生命科学などの研究に適した実験環境を提供しています。

一方、船外実験プラットフォームは、宇宙空間に直接曝(さら)されていることから、宇宙から地表などの観測を行うリモートセンシングや天体観測など、さまざまな観測分野での利用に適しています。現在これらの実験施設では、材料科学、生命科学、宇宙物理学、天文学、宇宙医学などの実験が行われています。また、「きぼう」の室内空間では、搭載カメラなどを使用して、文化・人文社会、教育、有償利用などの科学実験以外の活動も行われます。

「きぼう」の船内には10ヵ所の実験ラックを設置するためのスペースがあり、そのうちの5ヵ所をＪＡＸＡが使用し、残り5ヵ所はＮＡＳＡが使用権をもっています。ここで実験ラックというのは、大型のロッカーのような形のもので、その中に実験装置を収納して電力、通信、温度制御などを提供するユー

写真1－9 Japanese Experiment Module「きぼう」(NASA/JAXA)

ティリティ設備です。

これまでに「きぼう」船内に設置された日本の実験装置を表1－1に紹介します。

「きぼう」の船外実験プラットフォーム（写真1－10）は、ISSの中でもユニークな実験施設といえるものです。というのも、大型の船外実験装置を搭載して、電力や冷却機能を提供できるプラットフォームは他にはなく、NASAも船外での大きな実験装置は、このプラットフォームを使って運用しているのです。

これまでに船外実験プラットフォームに設置された日本の実験装置をまとめたものが表1－2です。

この中でJ－SSODと呼ばれる小型衛星放出機構は、実験装置ではありませんが、世界的に注目を集めている特徴的な装置だといえます（写真1－11）。

JAXAは、2015年9月に国際連合宇宙部（UN

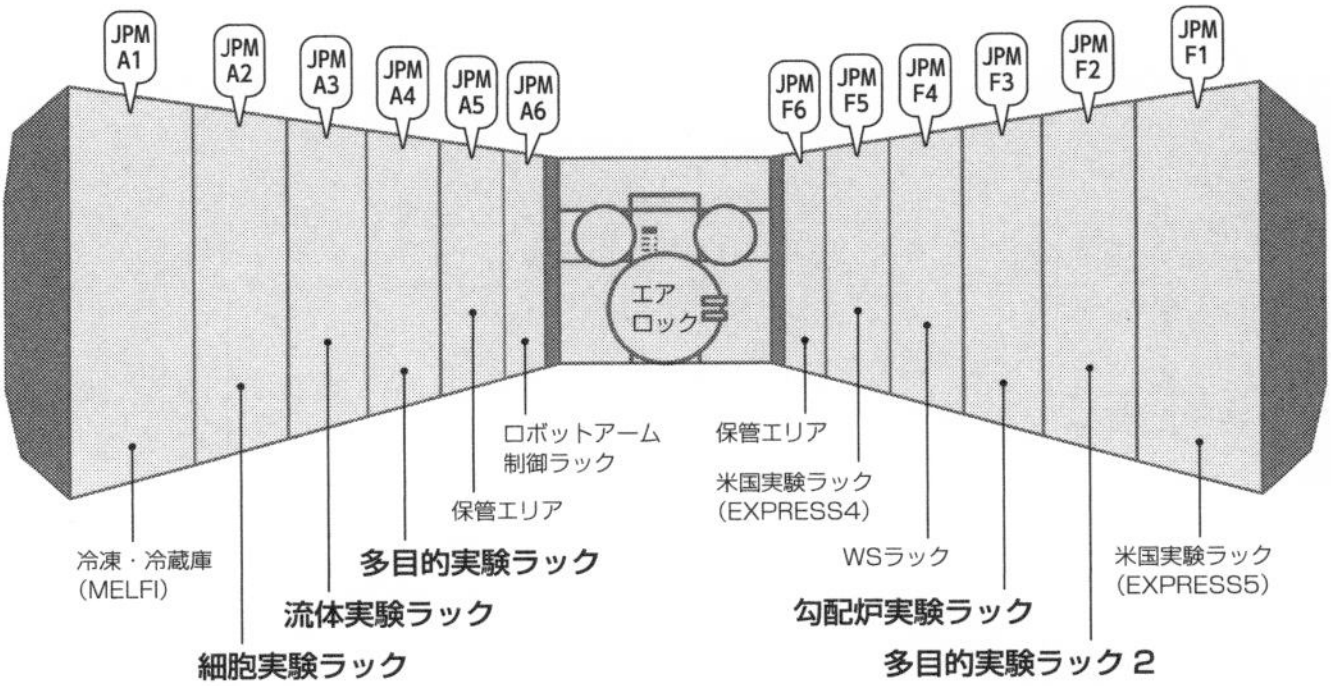

JPM A1
JPM A2
JPM A3
JPM A4
JPM A5
JPM A6
JPM F6
JPM F5
JPM F4
JPM F3
JPM F2
JPM F1
エアロック
ロボットアーム制御ラック
保管エリア
米国実験ラック（EXPRESS4）
保管エリア
多目的実験ラック
冷凍・冷蔵庫（MELFI）
WSラック
米国実験ラック（EXPRESS5）
流体実験ラック
勾配炉実験ラック
細胞実験ラック
多目的実験ラック２

図1－2　「きぼう」船内実験ラック（JAXAをもとに作成）

OOSA）と「超小型衛星放出の機会提供に関する協力取決め」を締結しました。この協定にもとづき、発展途上国も含め世界の国々からの応募を受け付け、これまでに43機の超小型衛星（2020年7月28日現在）をJ－SSODを使用して無償で軌道に投入しています。

実際、コスタリカやネパールといった、それまで衛星開発の経験のない国からの応募もありました。この制度を利用して初めての自国衛星を打ち上げるという画期的な機会が得られるため、世界の多くの国が利用しています。

ここで、ISSにおける宇宙飛行士の仕事について触れておきます。

ISSの運用は、基本的に地上の管制センターが行っているため、航空機の操縦のように宇宙飛行士が制御卓につきっきりになることはありません。その代わりに、ISSを正常な状態に維持するための保全作業や、輸送機がIS

流体実験ラック	流体物理実験装置（FPEF） 溶液結晶化観察装置（SCOF） タンパク質結晶生成装置（PCRF） 画像取得処理装置（IPU）
勾配炉実験ラック	温度勾配炉（GHF）
細胞実験ラック	細胞培養装置（CBEF） 小動物飼育装置（MHU）
多目的実験ラック	燃焼実験チャンバー（CCE） 液滴群燃焼実験供試体（GCEM） 次世代水再生実証システム（JWRS） 微粒化実験装置（AOE） 個体燃焼実験装置（SCEM）
多目的実験ラック2	静電浮遊炉（ELF）

表1－1「きぼう」船内実験装置

写真1－10　船外実験プラットフォーム

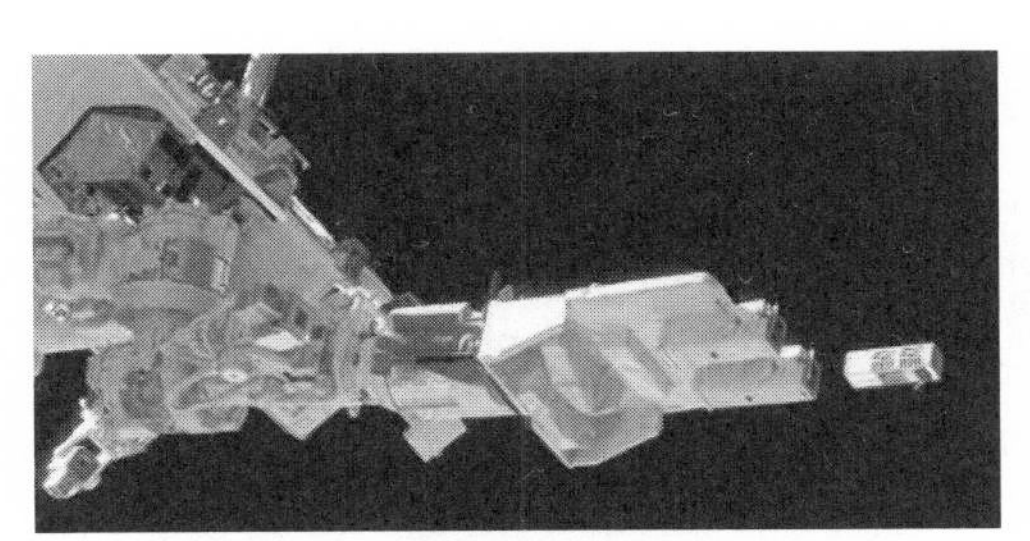

写真1－11　小型衛星放出機構（J-SSOD）
（写真ともに：NASA/JAXA）

運用を終了した実験装置	宇宙環境計測ミッション装置（SEDA-AP） 超伝導サブミリ波リム放射サウンダ（SMILES） ポート共有実験装置（MCE）
運用中の実験装置	全天X線監視装置（MAXI） 高エネルギー電子・ガンマ線観測装置（CALET） 中型曝露実験アダプタ（i-SEEP）
実験支援装置	小型衛星放出機構（J-SSOD） 簡易曝露実験装置（ExHAM） 次世代ハイビジョンカメラシステム（HDTV-EF2）

表1－2　「きぼう」船外実験装置

Sにドッキングする際のロボットアームの操作などを行っています。もちろん、宇宙飛行士の本来の仕事は宇宙実験の実施ですが、多くの場合は一旦装置が起動して実験が始まると、地上からの管制によりコントロールされることになります。したがって、宇宙実験における宇宙飛行士の主な業務は、実験前の準備作業と実験後の試料（成果物）の回収作業ということになります。このほかにも、医学生理学実験では研究の被験者になったり、教育イベントで地上と交信をしたり、カメラを操作して記録映像を撮影したりといった、多岐にわたる役割を果たしています。

ＩＳＳ計画の参加国以外で、唯一、有人宇宙開発を実現しているのが中国です。

中国は、２０２０年代に独自の宇宙ステーションを完成させることを目標に「中国有人宇宙飛行計画」を策定しています。その第一歩として２００３年に「神舟５号」という宇宙船で、

写真１－12　ロボットアームの操作（ともにNASA/JAXA）

最初の中国人宇宙飛行士を打ち上げました。２０１１年９月には、軌道上実験モジュールとなる「天宮1号」を打ち上げ、２０１２年には、女性１人を含む３人の宇宙飛行士を「神舟９号」で打ち上げ、「天宮1号」とのドッキングに成功しています。さらに２０１６年には「神舟11号」で打ち上げられた２人の宇宙飛行士が、「天宮1号」の後継機である「天宮２号」とドッキングした後、約１ヵ月間の宇宙滞在に成功しました。中国はまた、「嫦娥(じょうが)計画」とよばれる月探査計画を展開するなど、月面基地の建設や火星探査に向けた準備を着々と進めています。

1-2　ヒトが宇宙に行ってわかったこと

宇宙空間は真空で無重力ということは、広く知られている事実ですが、厳密にいうとそうではありません。どこからを宇宙空間と定義するかという問題もありますが、ここは「国際宇宙ステーション（ＩＳＳ）」がある、地表から４００km を宇宙空間としましょう。まず、地上４００km の宇宙空間

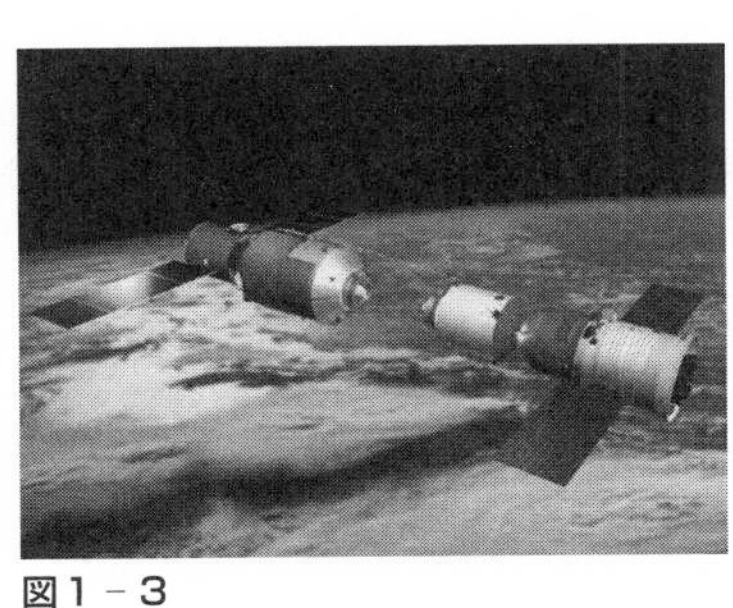

図１－３
天宮１号と神舟９号のイメージ図（CMSE）

が、地上と異なるさまざまなユニークな特徴をもっていることを紹介したいと思います。

宇宙空間の特徴についてまとめたものが表1－3です。

宇宙空間とはいえ、わずかですが大気も存在していますし、微弱な重力も働きます。しかし、こうしてみても、ISSのある高度400km附近は人間にとって過酷な環境であることがわかります。

とくに長期宇宙滞在の場合は、閉鎖空間による精神的なストレスや、微生物の増殖による感染症のリスクなども無視できない問題となります。もちろん無人ミッションであれば、宇宙船を構成する部品や材料が宇宙放射線の影響で劣化することにさえ気を付けていればいいのですが、有人ミッションの場合はそうはいきません。有人ミッションにおける課題

特徴	環境条件
無重力	地上の重力（1G）の100万分の1～1万分の1
磁場	0.25～0.65 Gauss
疑似真空	地上の気圧（1気圧）の10の10乗分の1
大気組成	原子状酸素が85%を占める
宇宙放射線	電子、陽子、アルファ線、重粒子線など
広い視野	全天にわたる視界
温度環境	単位面積当たりの太陽輻射熱1,371kW/m^2
宇宙残滓	低軌道に10cm以上の塊が1万個
閉鎖環境	人類社会との隔絶、微生物の増殖など

表1－3　宇宙空間の特徴（ISS高度400km近傍）

と対策については次章以降で詳しく述べていきますが、ここでその一部を紹介してみましょう。

宇宙に人間が行くと人体にはさまざまな影響があらわれます。まず、重力負荷がなくなることで、体内の骨吸収と骨形成のバランス（図1−4）がくずれてしまい、その結果、骨に含まれるカルシウム量が減少することが、多くの有人宇宙飛行の結果から明らかになっています。これは老化による骨粗鬆症（こつそしょうしょう）と同様の現象で、宇宙では短期間で進行するきわめて憂慮すべき健康障害だといえます。対策としては、ゴムやばねなどを利用して、体に負荷をかけながら運動したり、骨粗鬆症に有効な薬を服用したりする方法が試みられています。

さらに、宇宙放射線による影響は、無重力による影響よりも甚大であるといっていいでしょう。地上にいれば、大気やヴァンアレン帯とよばれる地球周辺に存在する磁気圏が盾になって、宇宙からの放射線を防いでくれます。しかし、宇宙空間ではそうはいきません。とりわけ、いま計画が進められている月や惑星へのミッションのように地球から遠方、ヴァンアレン帯の庇護（ひご）の外に出てしまうと、太陽フレアや銀河宇宙線の影響をそのまま受けてしまうことになります。この宇宙放射線は、生物のＤＮＡを傷つけ癌などの原因にもなります。

そのため、ＩＳＳでは宇宙飛行士の被曝放射線量の管理が厳格に行われています。今後、有

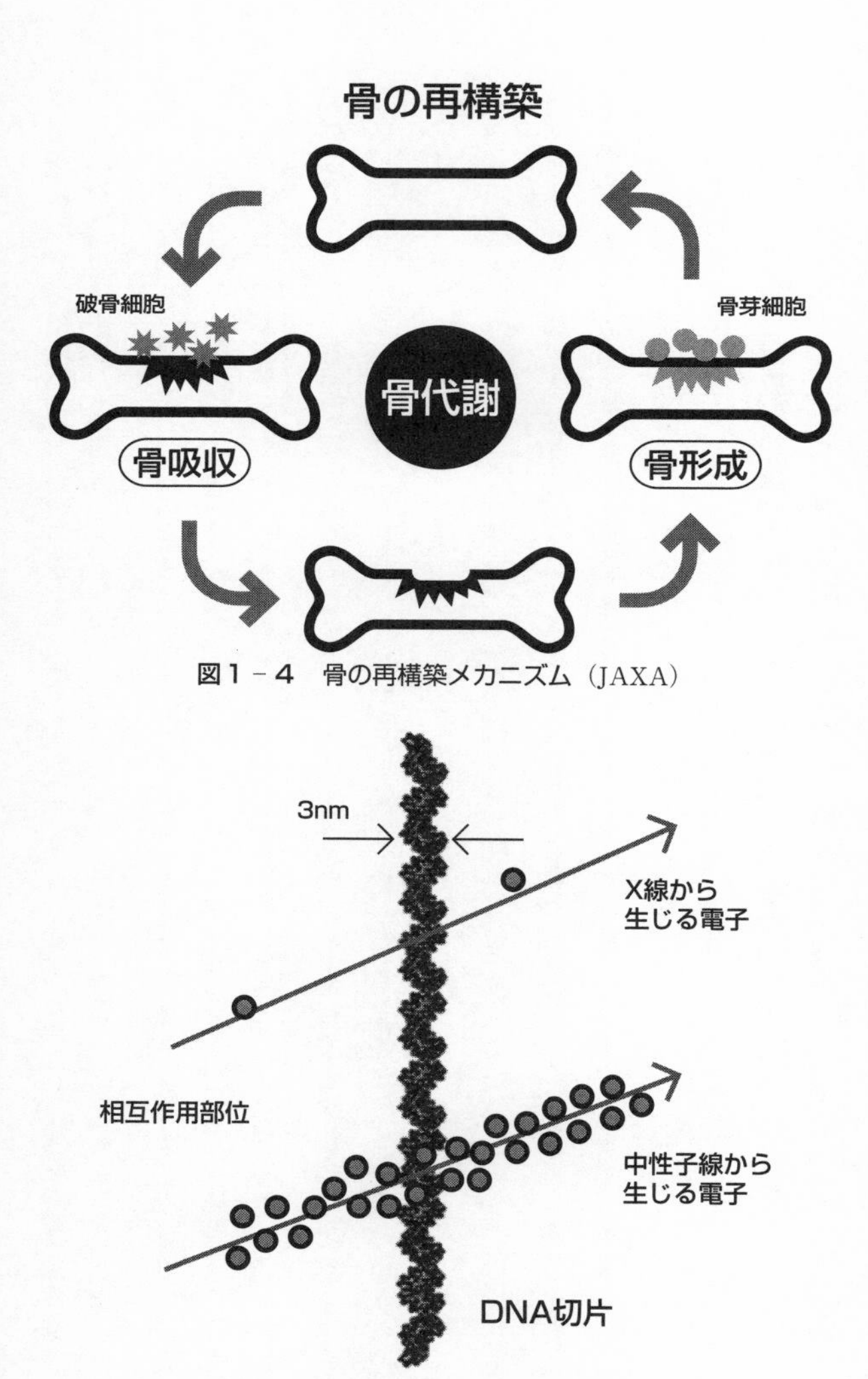

図１－４　骨の再構築メカニズム（JAXA）

図１－５　放射線によるDNAの損傷

人による遠方の惑星探査やスペース・コロニーを実現するためには、この宇宙放射線の影響をどう防ぐかが最重要課題となります。

現在のところ、放射線の影響を低減する薬や遮蔽（しゃへい）効果のある材料の開発が進められていますが、まだ決定的な対策はありません。

人類がゆりかごである地球を離れて遠くの宇宙に旅立つには、このような宇宙に特有の問題をひとつずつ解決していく必要があるのです。

1－3　これから始まる、新たな宇宙への挑戦

冒頭に紹介したように、21世紀に入って、人類はその活動領域を急速に広げつつあります。国際宇宙ステーションやスペースシャトルなど、これまで有人宇宙活動の中心で

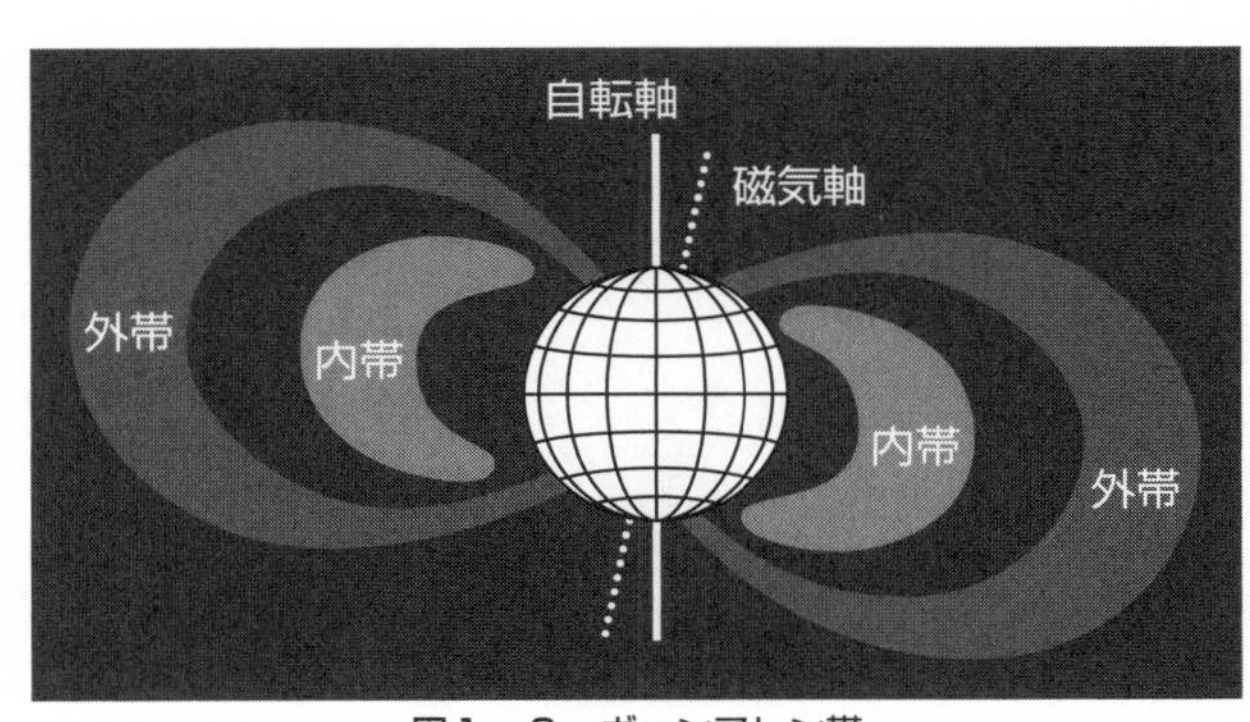

図1－6　ヴァンアレン帯

あった地球の低軌道を超えて、月近傍や月面、さらには火星を目指した有人宇宙活動が提案されつつあります。

ここでは、現在、計画が進められている宇宙開発について紹介していきたいと思います。

米国は、人類が初めて月に着陸し、月面探査を行ったアポロ計画から50年の記念となる2019年に「アルテミス計画」を発表しました。これは2024年までに人類を再び月面に降り立たせるとともに、火星など深宇宙探査への拠点として、月周回軌道に小型の宇宙ステーション「ゲートウェイ（Gateway）」（1－5節で詳述）を構築するという計画です。日本にもこのアルテミス計画において重要な役割を果たすことが期待されています。

アルテミス計画の大きな特徴の一つは、NASAやJAXAに代表される宇宙開発機関による探査計画だけでなく、民間企業による独自のミッションも続々と提案さ

図1－7　アルテミス計画（イメージ図）（NASA）

れつつあるところにあります。宇宙ベンチャー企業として知られるＳｐａｃｅＸ社は、民間ベースでの独自の火星移住計画を発表しました。さらにネット通販会社のアマゾンの創業者ジェフ・ベゾスは、月面開発を目指すブルーオリジン社を起業し、有人宇宙船を含めた独自の開発を進めています。このように宇宙開発が国家や宇宙開発機関でのみ行われる時代は終わりを告げ、民間ビジネスを含めたさまざまなプレーヤーが活躍する時代に突入しつつあるといっていいでしょう。

人類が月や火星など、より遠くに長期間宇宙滞在する際、物資の補給が困難になることは、誰もが想像するでしょう。そこで、先ほども少しふれたように地産地消ともいえる、完全な物質の循環による閉鎖生態系を実現することが必要になります。このような人工的な閉鎖生態系を実証する試みとして非常に有名なのが、１９９０年

図1－8　SpaceX（イメージ図）（Space X社）

代に米国アリゾナ州オラクルに建設された、「バイオスフェア2」です。ここでプロジェクト名が「2」となっているのは、初代「バイオスフェア」は、我々が住んでいる地球自体のことをさしていて、第2の地球環境を模擬するということを意図して命名されたからだといわれています。

「バイオスフェア2」は1・27ヘクタールの巨大な建造物内を物質的に外界と遮断しています。さらに、その中に8人の科学者が2年間交代で滞在し、100年間維持することを目指した壮大な計画でした。2億ドルの総工費を投じて構築された設備の中には、人工の熱帯雨林、海、湿地帯も設置されていました。このプロジェクトは、残念ながら設備内の物質収支を完全に維持することができず、最初の2年の時点で実験を断念することとなり、物質収支的

写真1－13　ブルーオリジン（Blue Origin社）

に完全に独立した閉鎖生態系の難しさを確認することとなりました。実は、日本国内においても、公益財団法人環境科学技術研究所が、青森県六ヶ所村に閉鎖空間長期間滞在実験を試みていますが、ここでも完全な物質循環を実現するには至っていません。

このように「バイオスフェア２」の試みは成功しませんでしたが、人類が火星などより遠い宇宙を目指すときには、非常に高効率な物質循環システムを実現することが必要になることは間違いありません。このような高効率な物質循環システムを研究・開発することは、地上においても資源の枯渇や環境の維持など、さまざまな問題に対応する非常に重要な技術でもあります。

このような考え方からも、バイオスフェアの実現について関心が高まってきています。

ＮＡＳＡは２０１５年に、人類が宇宙へ進出していくうえで重要となる共通の課題として、次の５点を挙げています。

(1)「重力場（Gravity fields)」

長期間低重力の状態が続くことによる心肺機能と筋骨格系への影響

(2)「孤立（Isolation）／幽閉（Confinement)」

長期間孤立状態が継続することに対する肉体面・精神面を含めた影響

(3)「不適合（Hostile）／閉鎖環境（Closed Environments)」

長期間にわたる船内環境の維持と有害な細菌やウイルスなどの繁殖の抑制

(4)「宇宙放射線（Space Radiation)」

長期間宇宙放射線に曝されることによる影響

(5)「地球との距離（Distance from Earth)」

長期間地球との行き来が難しい環境で生活するための、食料や物資などの生

産循環の実現

これらの課題を乗り越えることは、ＮＡＳＡだけでなく、いかなる国においても将来の宇宙開発のために必要なものです。

ＮＡＳＡの挙げた５つの課題のすべてを解決しない限り、人類は現在からさらに遠方の宇宙に進出することができません。

この課題を解決するうえで、もう一つ大きな問題があります。それは、このような技術開発には、莫大な予算と労力が必要となることです。宇宙開発の大きな悩みの一つは、非常に難しい技術が求められるにもかかわらず、地上に比べてマーケットが狭いために、コストに対して明確な収益が得られないことにあります。

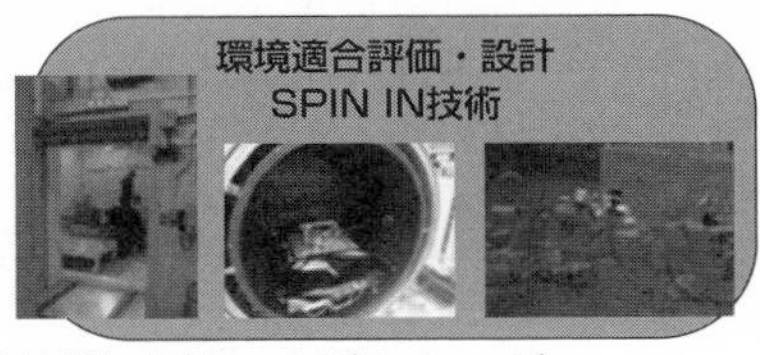

図１－９　地上技術を宇宙につなげるイメージ

しかしよく考えてみると、これらの技術の多くは、宇宙開発のためだけでなく、地上においても非常に有益な技術であることに気づきます。

例えば、水や空気を浄化し、きれいな状態に保つ技術は、多くの環境問題と直結していますし、孤立した環境での精神面を含めた健康管理は、遠隔医療や高齢化社会における健康管理とも密接に関係しています。その他にも、プラスチックなどのリサイクル技術、限られた資源を用いた効率のよい食物生産など、現代の社会問題と密接に関連する技術が多いのも特徴です。

そのため、将来の宇宙計画のために役に立つ技術の多くは、現在の私たちの生活向上に役立てることが可能なものを主なターゲットとして、研究開発が進められています。このように、私たちの生活向上のために進められている研究と宇宙計画のために進められる研究、2つの目的を含みながら研究開発していくことを、私たちは「デュアル開発」と呼んでいます。また、このように研究開発を進めることで、多くの技術課題を効率よく解決することも期待できます。

ＳＤＧｓという言葉を聞いたことがあると思います。これは「Sustainable Development Goals」という言葉の頭文字を取ったもので「持続可能な開発目標」という意味です。これらの技術を追究することは、ＳＤＧｓに代表される地上における諸問題の解決とも密接に関連しており、宇宙に居住するための技術は宇宙のためだけに使われるのではないのです。

さらに、宇宙船やロケットを実現する技術に比べると、生活に関連する技術はさまざまな方面から研究されています。そのため、これまで宇宙に関係することがなかった研究者や企業が参画することで、宇宙開発の可能性を大きく広げることも期待できます。

２０１７年に、東京理科大学にスペース・コロニー研究センターが設立されました。この研究センターでは、衣食住等の多様な生活関連技術を宇宙居住に結びつけることで、地上と宇宙の「デュアル開発」を実現することを目指しています。この研究センターでは、宇宙居住を実現するうえで重要だと考えられる、以下に紹介する４つの柱を中心にして、研究を進めています。

（１）健康を維持し人間の生活を快適に保つ技術
（２）食物の生産技術
（３）エネルギーを効果的に作り出し、蓄積する技術
（４）水・空気の浄化技術

1−4　スペース・コロニーを造るには

ここで、スペース・コロニー研究センターの活動を中心に、スペース・コロニーを実現するための概要を紹介したいと思います。

この研究センターでは、「異分野融合研究」のノウハウを生かし、宇宙滞在で必要となる技術の研究開発を行っています。

具体的には、物理・化学・工学分野から、環境浄化のために使われる技術である「光触媒」、さらに限られた資源を有効に利用するための「創・蓄・省エネルギー」、その他にも「IoT」といった要素技術を集積・高度化し、宇宙というフロンティアを拡大する際に不可欠な、閉鎖環境で長期間滞在できる技術の高度化を目指しています。

これらの技術は、災害によって食料やエネルギーといったライフラインが断たれた被災地などにおいても利用できるものです。また、民間企業と連携することにより、研究により生み出された成果は、すぐに民間に移転することを可能としています。これにより宇宙開発の利用にとどまらず、地上の生活に役立つような技術の社会実装を進めていくことができます。現在、

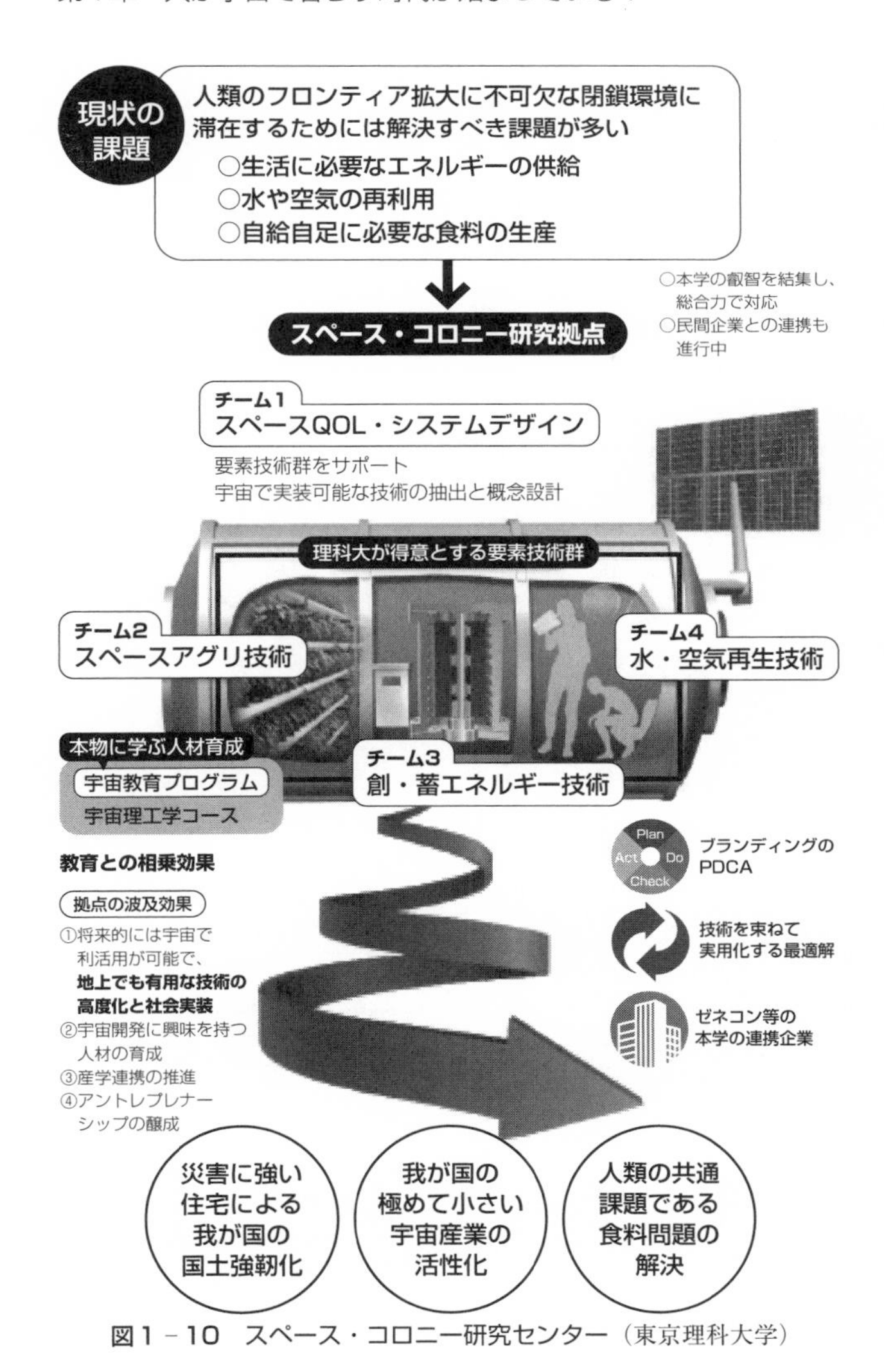

図1－10　スペース・コロニー研究センター（東京理科大学）

日本の宇宙産業の世界シェアは約1％（3000億円程度）といわれていますが、この産業の活性化にも貢献していくべく計画が進められています。

前節で紹介した、宇宙居住を実現するうえで重要だと考えられる4つの柱に対して、どのような取り組みがなされているのか、細かい解説は次章以降で見ていくことにしますが、ここではその概要を紹介します。

（1）宇宙での生活の質を上げる：スペースQOL

QOLとは「quality of life」の頭文字をとったもので、文字どおり「生活の質」を意味しています。とくに、低重力、真空という地球とはまったく異なる環境下にある月面などで、人類が長期間滞在できるようにするための、安全の確保や医療面でのセーフティネットなどを研究しています。現在は、宇宙で快適に生活するうえで必要となる技術要素の抽出と、居住システムの設計を中

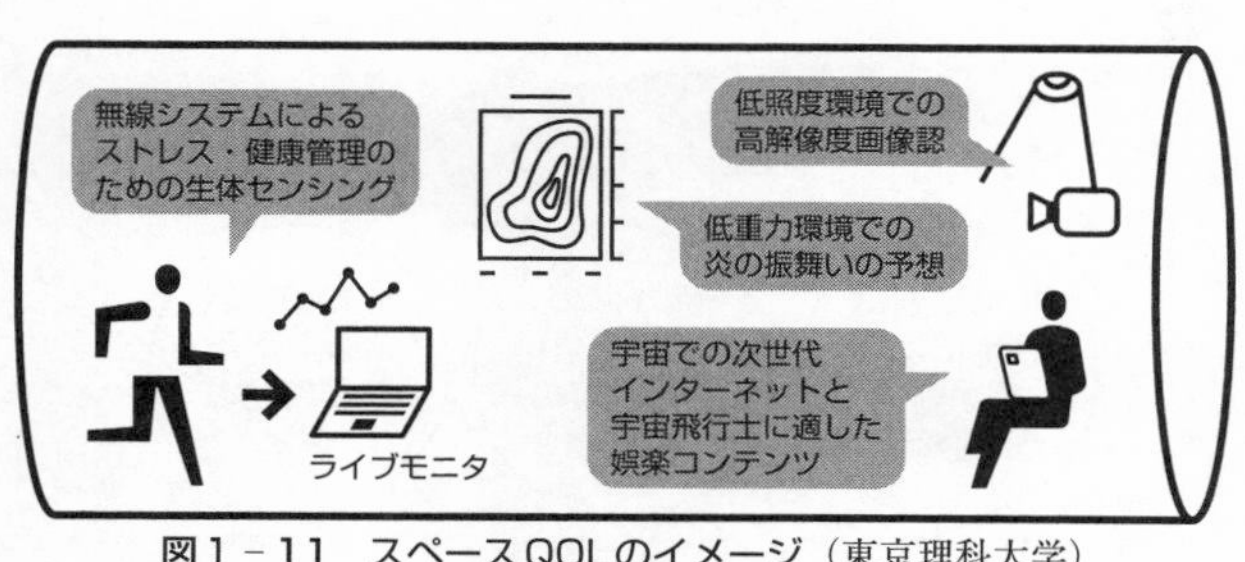

図1－11　スペースQOLのイメージ（東京理科大学）

心に研究を進めています。

（2）宇宙での食料生産：スペースアグリ技術

スペースアグリとは、「space：宇宙」と「agriculture：農業」を重ねた造語です。閉鎖環境で人間が長期間滞在するためには、宇宙での食料生産が不可欠です。宇宙空間で利用できる限られたスペースと資源を用いて食料となる植物を栽培するには、液体肥料の持続的な供給のほか、副次的に発生する藻や菌類などを除去することが必要です。この問題を解決するために、これまでの研究成果である水中プラズマ技術と光触媒技術を活用することで、滅菌効果のある窒素肥料の生成や、衛生的な食料の自給自足システムの構築を行っています。さらに、ここで開発した食料生産技術は、予測される世界的な食料問題の解決にも役立つと考えられます。

図1－12　スペースアグリのイメージ（NASA）

（3）エネルギーの確保：創・蓄・省エネルギー

宇宙空間でもっとも重要な基盤技術は、メンテナンスフリーで長期間使用できる電力供給システムを作ることだといえます。そこで宇宙線にさらされる宇宙空間でも耐久性を持つ放射線耐久性に優れた材料による、高効率かつ高出力の太陽電池や、室内外の温度差を利用して夜間にも発電可能な熱発電システムを開発しています。また、電源から供給される大容量の電力を効率的に蓄積するために、発電された電力でフライホイール（第5章で解説します）と呼ばれる円盤を回転させることによって蓄電する、機械式（フライホイール型）の高エネルギー密度蓄電システムも研究しています。

（4）閉鎖環境での循環システム：水・空気再生技術

人間が生きるために欠かせないものの代表格が、水と空気です。閉鎖環境内で使用される水や空気の浄化、循環完結を目指して、人体や機械装置が排出する廃棄物を、光触媒などの機能性材料を用いて再生するシステムを開発しています。具体的には、使用済みの空気を活性炭による吸着ではなく、完全分解可能な高活性光触媒を用いて呼吸可能な空気に変換して再利用す

図1－13　創・蓄エネルギーのイメージ

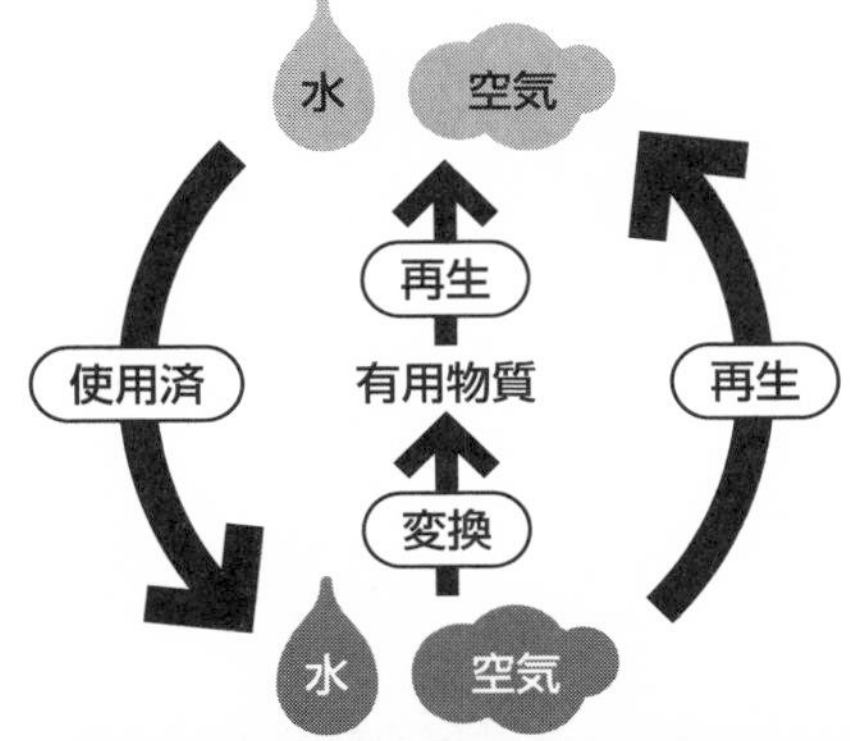

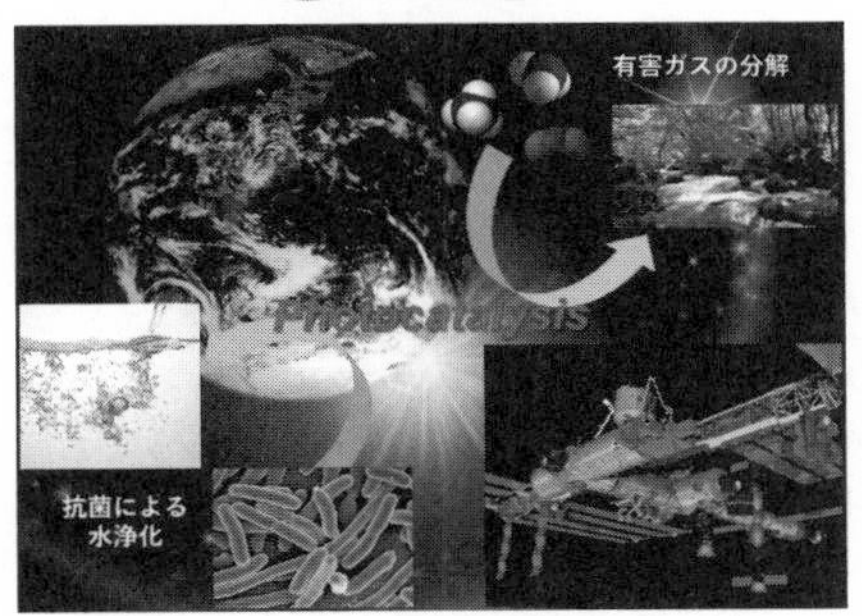

図1－14　水・空気再生のイメージ
（イラストレーション：ともに東京理科大学）

ることを目指して研究が進められています。また、便などの廃棄物から水分を抽出した後の残滓から、宇宙で使用できる材料を生産する方法についても検討しています。

1－5　宇宙開発時代が始まった！　近未来の宇宙探査計画

先ほど「アルテミス計画」についてて少しふれました。

いま、宇宙開発は大きな前進の時を迎えているといっても過言ではないでしょう。

ここで章のまとめとして、いま世界で計画されている宇宙開発計画について紹介してみたいと思います。

（1）ISECGの活動

日米欧露中印などの15の宇宙機関からなる宇宙探査のための国際協力グループISECG（International Space Exploration Coordination Group）は、2018年1月、GER（The Global Exploration Roadmap）とよばれる宇宙探査計画を発表しました。この発表では、計画書の第1章で、「より素晴らしい未来を築くために、人類の存在域を地球周辺軌道から月、さらには火星へと拡大していこう」という、宇宙開拓宣言ともよべるような意思表示が行われています。

これを具体化するために、米国では２０１８年2月に行われた大統領の予算教書において、「月の周回軌道に設置される有人拠点としての『ゲートウェイ（Gateway）』を国際協力および民間との協力により構築していく」方針が示されました。また米国以外にも、ロシア、欧州、中国、およびインドがそれぞれ有人宇宙探査計画を公表し、その実現のための研究開発にすでに着手しています。

このＧＥＲでは、最終的なターゲットを有人火星探査においていることが特徴的です。公開されて大きな話題となった映画『オデッセイ』の世界は、すぐ目の前まで来ているのです。また、それを実現するために、活動領域を地球近傍からより遠くの宇宙に段階的に広げていく計画が提案されました。そこで、火星探査に向けた開発ステップを紹介したいと思います。

地球低軌道の利用

地球低軌道とは、地表面からの高度２０００㎞以下の宇宙空間をさしています。この低軌道は、これまでも国際宇宙ステーションなど、さまざまな研究、開発が行われてきた領域ですが、これを継続しながら、さらに深宇宙（月・火星）探査に必要な技術と能力を獲得することを第一段階の目標としています。

ロボットミッションの活用

人間にとっては過酷な環境となる宇宙空間でも安定して活動できるものは、やはりロボットです。映画『エイリアン』の中でも、宇宙船のクルーの中にアンドロイドが乗り組んでいました。そこで、最初の足がかりとして無人のロボットミッションをとおして、有人ミッションのために必要な技術を実証することがここでの目的となります。

次に、科学的な研究に加えて、宇宙に存在する資源と環境に関する調査とサンプルの回収などをロボットにより行うことが計画されています。

月近傍の利用

さきほど紹介した月を周回するプラットフォーム「ゲートウェイ」は、以下の目的のために構築されるものです。

・深宇宙での生活について、より多くの知識を得る。
・月軌道および月表面でのロボットミッションの実施。
・月表面での有人ミッションの実施。

・月と太陽系に関する科学研究の推進。
・火星に行くための宇宙船の建造と、その性能の検証。
このように、さらに遠くの宇宙を目指すために、まずその足がかり（拠点）となるものが、この「ゲートウェイ」なのです。

月面の利用ミッション

さらに、ゲートウェイを拠点に月を利用した有人活動も、以下のステップで確立しようと考えられています。
・月に関する科学研究の促進。
・後に続く有人火星探査や長期にわたる月での有人活動に必要なミッション運用の準備と検証。
・経済活動による月の開発や商業利用の可能性についての知見の獲得。
月面基地は、ＳＦの世界にたびたび登場しますが、月周回軌道上のゲートウェイからの物資や人員の移動を容易にすることで、月面基地を構築しようという研究が進められています。

有人火星ミッション

前述のようにＧＥＲの最終目標は、持続可能な有人火星ミッションの実現です。その中で、現在、具体的に考えられていることが、火星の周回軌道と火星表面での探査ミッションを遂行することなのです。

では、いったい現在は、どこまでこれらの計画が進められているのだろうかと疑問に思った方もいるかもしれません。２０２０年12月、「はやぶさ2」が小惑星「リュウグウ」に着陸し、惑星内部の土壌サンプルの回収に成功したことは、大きなニュースになりました。実は、これは先に紹介した「ロボットミッション」のひとつで、太陽系誕生時における情報を得るために、過去の記憶が保存されている小惑星への着陸という直接的な方法を行ったものなのです。

図1－15　はやぶさ2（イラストレーション：池下章裕）

(2) アルテミス計画

次に、宇宙探査の分野で世界をリードしてきた米国航空宇宙局（ＮＡＳＡ）の「アルテミス（Artemis）計画」（NASA Artemis Overview May 1, 2020）について紹介します。

ギリシャ神話のアポロンの双子の姉（または妹）であるアルテミスの名前を冠したこの計画は、人類の持続的な月面滞在を２０２８年までに実現しようというものです。

アルテミス計画では、１９７２年のアポロ計画の最後の飛行以来、人類が足を踏み入れていない月面への回帰を主眼に掲げていますが、真の目的は、その先にある有人火星探査なのです。そのために必要な技術を開発し、さらに深宇宙へと向かうべく、居住区、研究室、ドッキングポートなどで構成される月周回有人拠点「ゲートウェイ」を構築しようとしています。

アルテミス計画は、大きく2つのフェーズに分けて計画、推進されています。

最初のフェーズは、２０１９年から数えて5年以内に月に着陸するというものです。また、初の女性による月探査を２０２４年までに実現することも計画しており、これは、早期実現に焦点を当てています。最初の月探査は、月の南極で行われます。これは月南極のクレーターに氷が存在することがわかっているためです。

第2フェーズは、月とその周辺における持続性のある人間の滞在拠点を２０２８年までに確

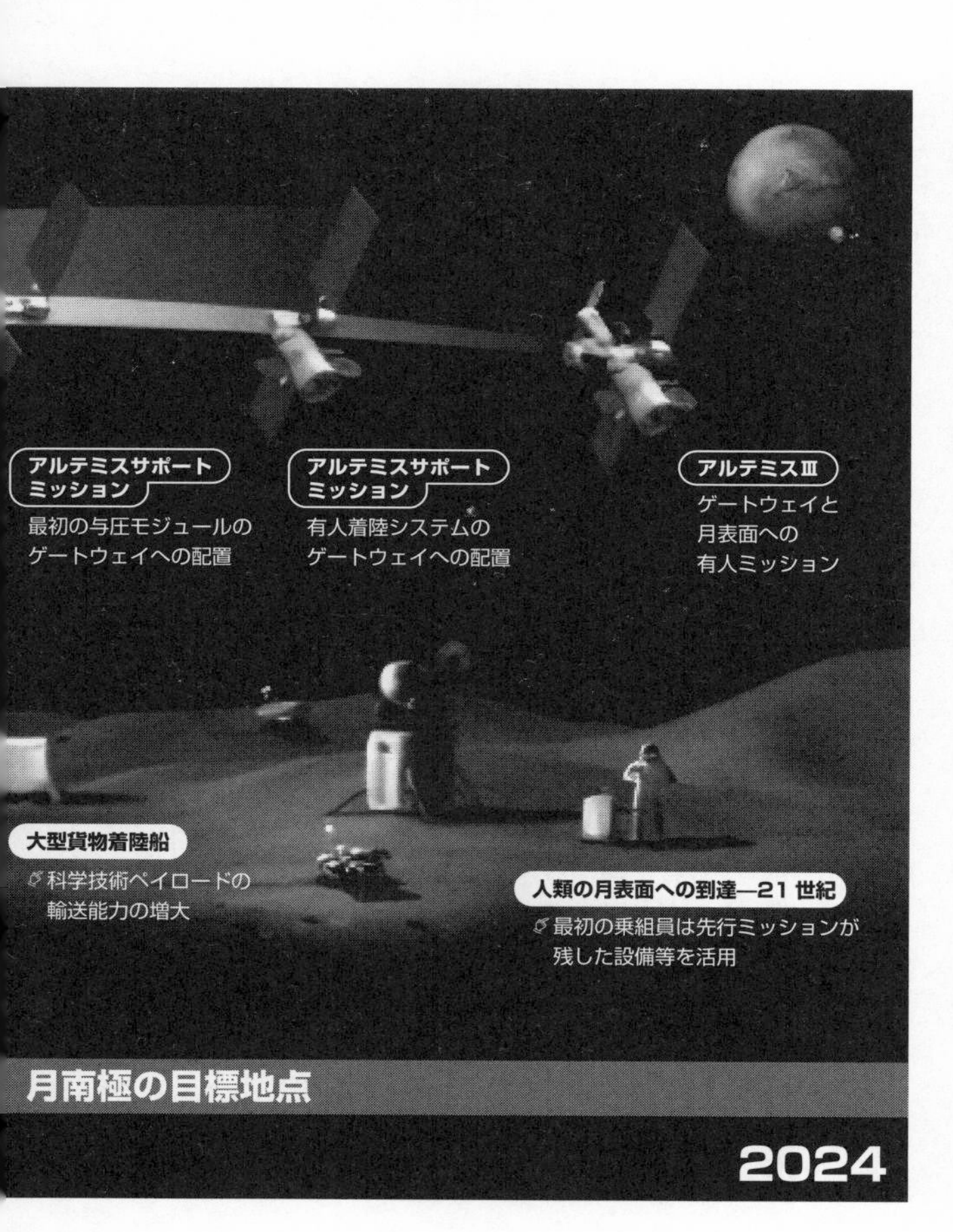
アルテミスサポートミッション
最初の与圧モジュールの
ゲートウェイへの配置
アルテミスサポートミッション
有人着陸システムの
ゲートウェイへの配置
アルテミスⅢ
ゲートウェイと
月表面への
有人ミッション
大型貨物着陸船
科学技術ペイロードの
輸送能力の増大
人類の月表面への到達—21 世紀
最初の乗組員は先行ミッションが
残した設備等を活用
月南極の目標地点
2024

図１－16　アルテミス計画フェーズ１のイメージ図（NASA）

立することです。NASAは、次の大きな飛躍——宇宙飛行士の火星への旅——に備えるために、月での滞在において学んだことを役立てていく方針を示しています。

さらに、「アルテミス計画」は、NASA独自の開発だけでなく、米国企業や国際パートナーと協力して進められています。新しい科学上の発見を促すとともに、民間企業が月の経済社会基盤を築けるようにするために、恒久的な有人拠点の10年以内の確立を目指している点も特徴として挙げられるでしょう。

また、この計画では、米国企業が科学装置や実現可能な技術を月面に輸送するところから始められます。その後、「ゲートウェイ」と名付けられた宇宙船が、月の周回軌道上に打ち上げられ、宇宙飛行士を月の表面に送り届ける、月着陸ミッションをサポートする予定となっています。ここでは、物資や人を宇宙に送り

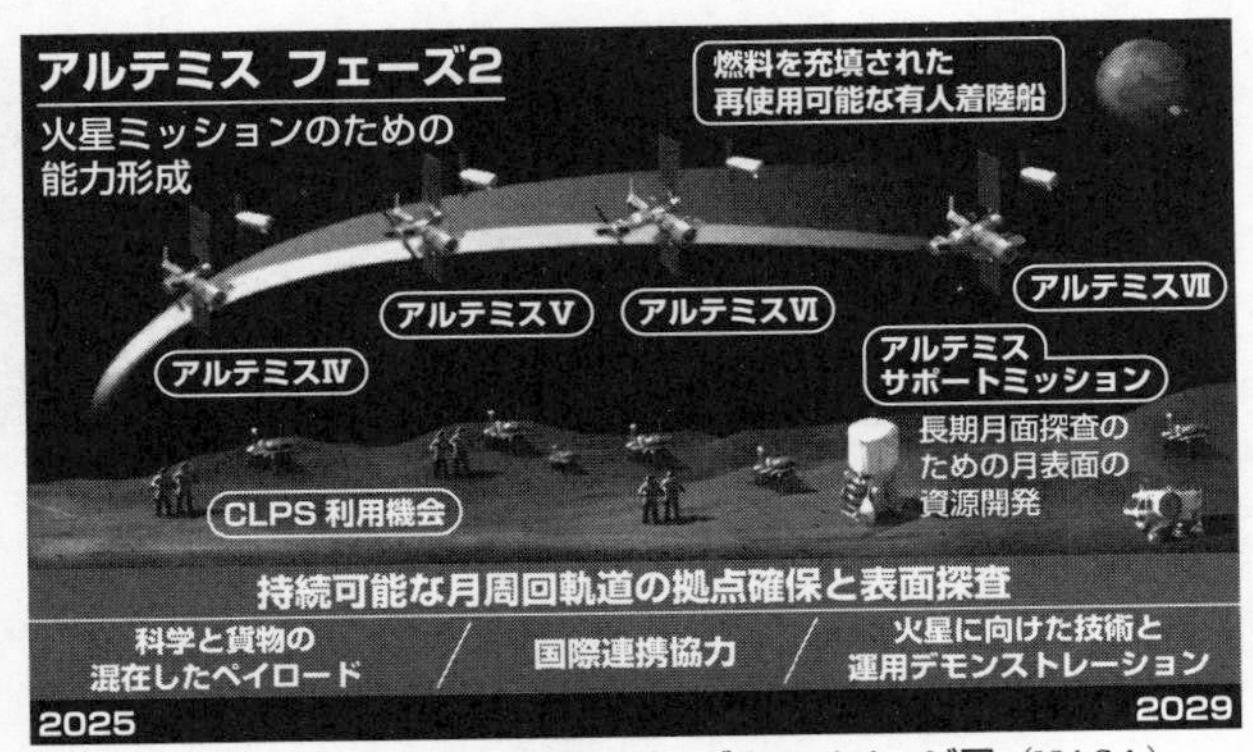

図1－17　アルテミス計画フェーズ2のイメージ図（NASA）

出すための大型の打ち上げロケット「スペース・ローンチ・システム」(Space Launch System) とスペースシャトルの代替として開発が進められている有人のオリオン宇宙船が、ゲートウェイを構築し、地球と月の間で宇宙飛行士を輸送するためのバックボーンとなります。

なぜ、すでに人類が到達したことのある月をもう一度目指すのか？　と思われる方もいるかもしれません。実は、月は未だ科学的な研究対象の宝庫であり、探求すべき多くの魅惑的な謎を秘めている存在なのです。その多くは、私たちの故郷の惑星だけでなく太陽系、さらにはその先の宇宙に関する理解を深めるためにも役立つものです。地球を振り返り、太陽を観察し、広大な宇宙を眺めるための科学プラットフォームとして、月という拠点を活用しようと考えているので

図1－18　月の氷結水を見つけるためのVIPER月面ローバーの概念図
(NASA/Daniel Rutter)

す。月面の水の発見と希土類金属などの堆積物の存在は、科学研究と人間による探査の両方に有用な事実ととらえられています。

ここでさらに具体的に第1フェーズからの流れをみていきます。

NASAは、月で技術実証するための科学機器の選定と製作にすでに取り組んでおり、早ければ2021年に、米国の企業がこれらを月に送り届ける計画となっています。この輸送計画により、月についての理解が深まるとともに、新しい着陸船技術をテストする機会も得られます。

さらに、次のステップに進むために必要になるものが、先ほど少し紹介したスペース・ローンチ・システム（SLS）とオリオン宇宙船です。これらは、月への探査とさらに遠方への探査として計画さ

図1－19　ケネディ宇宙センターの39B発射台に立つSLSのイメージ図
Launch Pad 39B（NASA/Marshal Space Flight Center）

れている深宇宙ミッションにおいて、人間を安全に輸送するための世界でもっとも強力なロケットで、すでに開発中のものです。オリオン宇宙船は、数日を要する地球から月までの38万４４００㎞の行程を、人間が往還できるように特別に設計されています。

計画では、ＳＬＳとオリオン宇宙船による最初のミッションでは、乗組員は乗船せず、リモート操縦により、２つの宇宙船を一体で飛行させる予定です。そして、２回目のフライトでは、宇宙飛行士を乗せて月の周りの飛行テストを行います。さらに２０２４年に計画されている3回目のフライトでは、人類史上初の月面に降りる女性宇宙飛行士と、アポロ計画以来となる男性宇宙飛行士を月に運ぶ予定です。オリオン宇宙船、ＳＬＳ、そしてゲートウェイは、近い将来においてＮＡＳＡの持続可能な有人探査インフラストラクチ

図１－20　月周回軌道上のゲートウェイのイメージ図
(NASA)

ャの中核を成すものだといえます。これらの宇宙船の建造は民間企業との共同開発によって進められています。民間企業と協力することにより、より持続可能な月探査を実現しようとしているのです。

ゲートウェイが実現すると、数ヵ月にわたる月への有人ミッションが可能となります。この数ヵ月という期間が得られることは、宇宙開発において大きな飛躍となるでしょう。まず、月への着陸が複数回可能になるうえに、月における活動範囲も広がり、月全域に及ぶ新しい地点への探検も可能になります。ゲートウェイは、深宇宙科学の前哨基地として、乗組員がいなくても自律的に動作するように設計され、さらに国際的に合意された安全基準などに基づいて構築されます。

「ゲートウェイ」は、ハビテーション&ロジスティクスアウトポスト（HALO）とよばれる電力・推進要素と

図1－21　月面上のアルテミス宇宙飛行士のイメージ図（NASA）

乗務員用のキャビンから構成されています。これにより、地球から運ばれた食料や燃料などの補給品をより簡単に受け取ることができます。

将来的に「ゲートウェイ」は、燃料補給所、整備プラットフォーム、および月やその他の天体からのサンプルを処理するための科学研究の拠点となり、さらに商業的な目的においても活用されることになります。月面へのアクセスと着陸システムの再利用という長期的な目標をかかげて現在、開発に取り組んでいます。

このようにNASAは、最初の女性と新たな男性を月に送り込むために、民間企業と協力して、再利用可能で地上から月面に人を輸送できる着陸システムを開発するという長期的な目標を設定しました。持続可能な月探査という目標を実現するうえで、民間セクターによるイノベーションが重要な鍵であり、すでに多くの官民パートナーシップが結ばれ、商業活動を通じて深宇宙への飛行能力の向上が実現されつつあるのです。

一方、人間が多量の物資とともに「ゲートウェイ」と月を往復するためには、大きく、機能的で、再利用が可能な人間用の着陸船の開発が必要となります。そこには正確性も要求されます。そこでNASAは、さらに大きく、より機能的で再利用が可能な有人着陸船の開発に着手することも予定しています。この新しく開発される着陸船では、月面で生命を維持しながら、任務遂行に必要な資源を見つけ、サンプルを収集してゲートウェイに持ち帰るための大きな移動式キットを搭載することになっています。

次に、人類の月面での滞在を長期間にわたって可能にするために必要なことは何かを考えてみましょう。月面が人間の生存に適さない環境であることは明らかです。そのため、月面作業ではロボットが活用されることになります。このロボット（無人探査機）と有人探査機をどのように使い分けるかという点が課題になります。ＮＡＳＡはこの点についても考え方を示しています。

まず、着陸地点のまわりでは、乗組員を輸送するための月面地形車両（ＬＴＶ：Lunar Traversing Vehicle）が使用されます。さらに、乗組員が月面を横断することができるようにするために、最大45日間居住可能な移動式の月面プラットフォーム、最大４人の乗組員を短期間収容できる地上居住区などが構想されています。

月面で人類が活動すると、必然的にそこにはゴミが発生します。これも解決しなくてはならない課題の一つです。そこでＮＡＳＡは民間企業と協力しながら、資源の再利用やゴミの処分方式など、宇宙での生活に密接した問題の解決にも取り組んでいます。

月へのミッションは、国際宇宙ステーションと比べて地球から約１０００倍離れています。

これまで見てきた月に運ばなければならないさまざまな装置などは、遠く離れた場所でも確実に動作し、人間の生活をサポートし、一方で運搬のために十分に軽いことが要求されます。また、このプロジェクトの最終目標となる、火星への4億8千万kmの旅行に向けて、これらの技術は必要不可欠なものとなります。

月と火星の探査は相互に関連しているものです。火星探査のために必要となる新しい器具や機器をテストする機会として月での運用や開発が重要となります。人間の居住区、生命維持システム、および地球から離れた自立的な前哨基地を建設するのに役立つ技術。さらに、研究者は長年にわたる火星への旅を始める前に、数ヵ月間「ゲートウェイ」に滞在することで、深宇宙という環境が人体にどのような影響を与えるかということへの理解を深めることもできます。

これらすべての取り組みは、これまで培ったＮＡＳＡの60年間の探査経験に基づいて行われることになります。そこには、20年間継続してＩＳＳに人間が滞在したという成功体験も含まれています。

科学と経済の両面で新しい市場と機会を生み出し、さらに人類が、将来の火星探査を行うための恒久的な地歩を固め、太陽系のさらなる深遠部へと進めていくためのプロジェクトが進められているのです。

（3）日本の有人宇宙探査計画

この章の最後として、日本の有人宇宙探査への取り組みについて紹介したいと思います。

２０１８年3月3日、文部科学大臣をホストとして世界各国の政府閣僚や宇宙機関長の参加のもと、第2回国際宇宙探査フォーラム（ＩＳＥＦ２）が日本で開催されました。

このとき、フォーラムの最後に「宇宙探査は人類の活動領域を拡大する重要な挑戦であり、国際協力により全人類に利益をもたらす活動である」という「東京原則」とよばれる宣言がなされました。これは、日本も宇宙航空研究開発機構（ＪＡＸＡ）を中心に、地球以外の天体への無人・有人の探査を促進していくというものです。

ＪＡＸＡは、国際宇宙ステーションや宇宙科学ミッションなどで培った技術・知見を活かし、先に紹介した月周回有人拠点「ゲートウェイ」への参画や、月面での探査活動を計画しています。

計画では、２０２１年度以降に、小型月着陸実証機（ＳＬＩＭ）を打ち上げ、月面への高精度着陸技術の獲得を目指しています。

また、２０２３年度以降には、月の水資源を調査する月極域探査ミッションが計画されており、国際協力によって開発する月離着陸機（ＨＥＲＡＣＬＥＳ）によるサンプルリターン・ミッションを検討し、将来の本格的な有人月面探査につなげようと考えています。

さらに２０２４年度には、「火星衛星探査ミッション：ＭＭＸ」が計画され、これは火星の衛星からのサンプルリターンを行うプロジェクトです。

これらの宇宙探査計画を進めていくためには、ＪＡＸＡがさまざまな研究機関や産業界とも連携しながら、それぞれの強みを活かして取り組んでいくことが重要だとされています。

将来、人が月へ行き、安全に長期間活動するためには、放射線量や地盤の状態、利用可能な資源などを事前に調べておくことが必要となります。とくに資源として有用な水が、どこにどのくらいあるのかを知ることは、

図１－22　月極域探査イメージ（JAXA）

本格的な月探査を行ううえでとても重要となります。

先に述べた「ＨＥＲＡＣＬＥＳ」では、無人探査機を月面に着陸させ、資源利用可能な水の有無を調べる国際共同ミッションを計画しています。その着陸地点には、地下に水があると考えられている南極や北極を候補に考えています。

また前述の「ゲートウェイ」は、ＮＡＳＡだけの計画ではなく、国際プロジェクトだと紹介しました。当然、ここでもＪＡＸＡは重要な役割を担います。

アルテミス計画に話を戻すと、第1フェーズでは、4名の宇宙飛行士が年間30日程度滞在することが想定されています。ＪＡＸＡでは、環境生命維持装置や開発中の新型宇宙ステーション補給機「ＨＴＶ－Ｘ」に、月飛行機能を追加した補給機を開発することを検討しています。

また、「ゲートウェイ」計画に関する最近のニュースとして、2020年7月10日に、萩生田光一文部科学相とＮＡＳＡのジム・ブライデンスタイン長官（当時）がオンラインで会談し、米国のアルテミス計画の日米協力に関する共同宣言に署名したことが発表されました。

共同宣言には、日本人宇宙飛行士の月面や月周辺での活動についても盛り込まれており、文部科学省によれば、2025年以降に日本人宇宙飛行士が「ゲートウェイ」に搭乗できるものと想定されています。さらに、ゲートウェイが完成し、月面探査が本格化する2028年以降には、日本人宇宙飛行士が月面に着陸する機会があると考えられています。

このようにすでに人間が宇宙に長期滞在し、そこから遠方の宇宙探査までを行うことは現実のものとなっているのです。

そのためには、まださまざまな技術的な課題が山積しています。

それを乗り越えるために、どのような研究・開発がなされているのか、そしてどこまで実現されているのか。

この後の章では、それをひとつずつ見ていくことにしましょう。

火星衛星探査
FY2024

初期火星探査

本格探査

月極域探査
2023頃

月離着陸実証
2026頃

月の本格的な
探査・利用

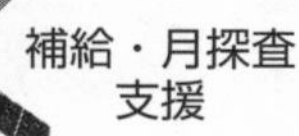

補給・月探査
支援

Gateway
組立
2022〜

Gateway
発展

地球低軌道は民間企業主体による
経済活動の場へ

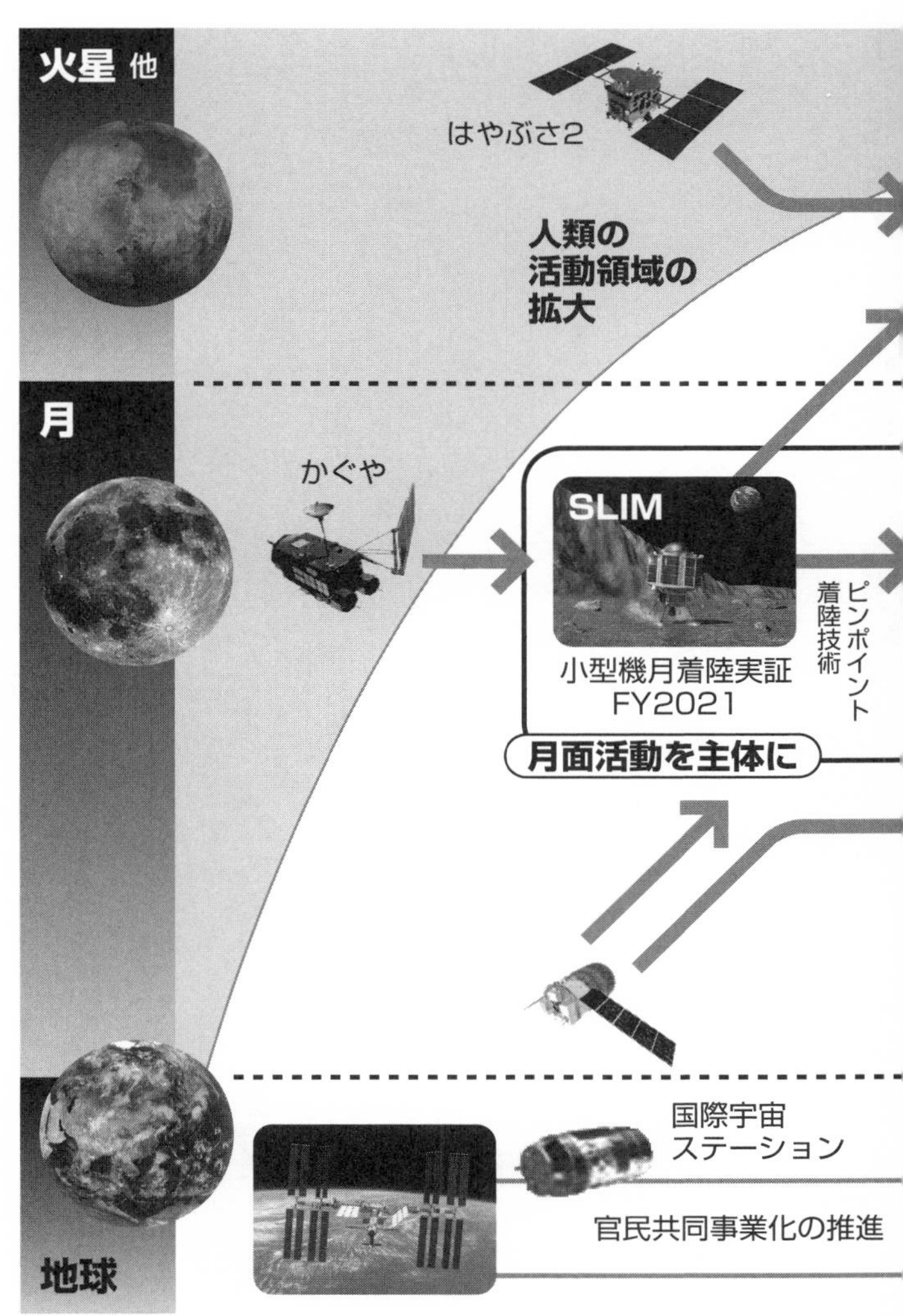

図１－23　日本（JAXA）の宇宙探査シナリオ（NASA/JAXA）

第2章

長期宇宙滞在で遭遇する困難な課題

前章でスペース・コロニーがもはやSFの世界のものでなく、具体的な計画として進められていることがわかったと思います。

この章では、まず宇宙空間という環境が人体や科学研究にどのような影響を与えるのか、また、そのためにどのような取り組みがなされているのかを紹介していきます。

最初に、宇宙空間の特徴とその影響の代表的なものを一覧にまとめてみました（表2－1）。

宇宙空間の特徴には、有人宇宙活動にとって有益なものとそうでないものがあります。地球から離れ宇宙という広い視野に立つことが、天体観測や情報通信にとって有益であることは直感的に理解できると思います。また、地上では実施困難な物質科学や生命科学の実験が、無重力（国際宇宙ステーションでは微小重力10^{-6}～10^{-4}Gが作用します）の世界で可能になることは明らかな長所です。しかし、無重力という環境は人類に対してはどのような影響を与えるのでしょうか。宇宙に滞在するあいだに宇宙飛行士の骨のカルシウムや筋肉が減少することが知られており、これは有害な健康上のリスクとなります。

そこで前章でも紹介したNASAによって提案されている「有人宇宙探査に内在する5つのリスク」をもとに、宇宙環境の影響についての詳細と、現在研究が進められている対策について見ていくことにします。

2-1　重力場に関する課題

無重力環境で骨量が減少することは、有人宇宙活動が始まって初めて明らかになった事実です。なぜ骨量が減少するのか？　このメカニズムを解明したのは東京工業大学の工藤明特命教授の研究チームでした。この研究では、体の透明度が高いメダカに遺伝子組み換えを行い、骨を造る骨芽(こつが)細胞と骨を吸収する破骨(はこつ)細胞を蛍光タンパク質によって識別することで、体内の骨の状態を外部から観察できるようにしています。

特徴	影響
無重力	骨量の減少、筋肉の減少、循環機能の変化
磁場	影響なし
真空	与圧空間（キャビン、宇宙服など）が必要
大気組成	(原子状酸素による)宇宙機システム、宇宙服表面の浸食
宇宙放射線	放射線被曝の蓄積、DNAの損傷
広い視野	天体観測、宇宙通信において好条件
軌道上温度環境	キャビン、宇宙服の温度制御が必要
宇宙残滓	衝突エネルギーの吸収、または回避操作が必要
閉鎖環境	健康状態のモニタ、セラピー、薬の服用などが必要

表2-1　有人宇宙活動に対する宇宙環境の影響

このメダカを国際宇宙ステーションの無重力環境で２ヵ月間飼育して骨組織を観察した結果、破骨細胞の活性化と細胞分裂の異常によって、一つの細胞に複数の核ができる多核化が進んでいることがわかりました。また、細胞内のミトコンドリアに形態異常が観察され、それに関連する２つの遺伝子「ｆｋｂｐ５」と「ｄｄｉｔ４」での特異的な発現の上昇も認められました。これらはストレスに応答するグルココルチコイドの受容体（ＧＲ）によって発現する遺伝子で、ＧＲはミトコンドリアで作用することが知られています。つまり、無重力環境におけるミトコンドリア関連遺伝子の発現が破骨細胞の活性化を引き起こし、骨量減少に繋がったことが示唆されました。

　さらに、無重力環境では、骨量と同様に筋肉も減少することがわかっています。徳島大学の二川健教授らは国際宇宙ステーションでラットの細胞を用いて実験を行いました。これは無重

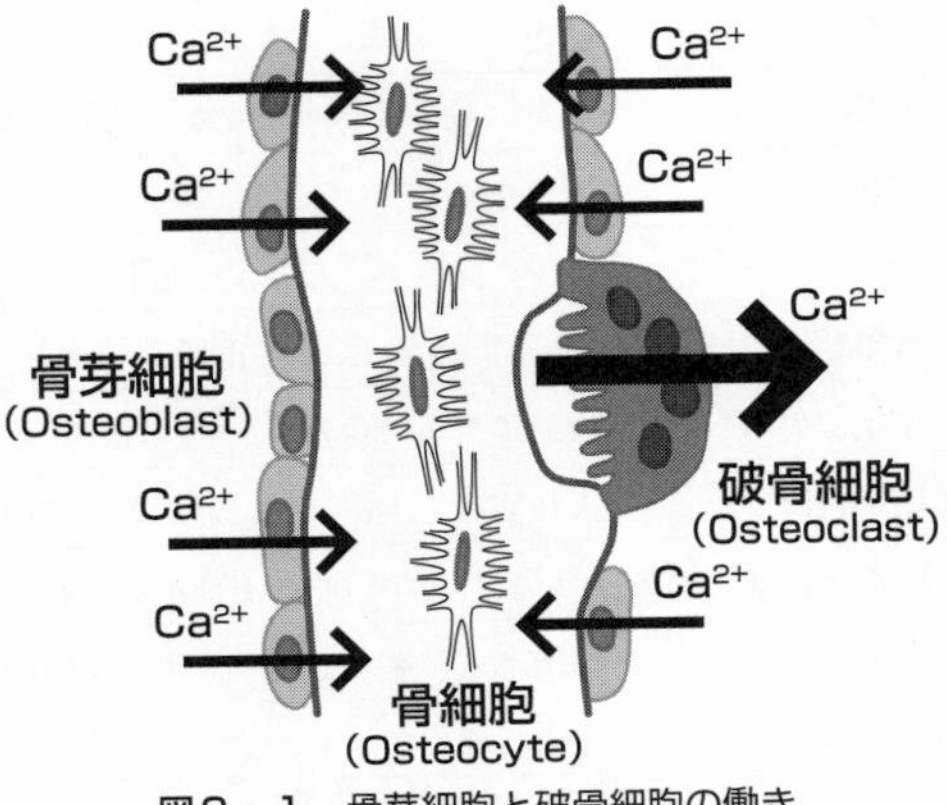

図２－１　骨芽細胞と破骨細胞の働き

力と模擬重力（1G）環境で10日間培養したのち、筋肉を成長させる物質（成長因子）を加えたものと加えなかったものを凍結して地上で回収するというものです。

地上での解析の結果、模擬重力下で培養した細胞のうち、成長因子を加えた細胞は萎縮が抑えられていましたが、無重力で培養した細胞は成長因子の有無にかかわらず萎縮が進行しており、Cb1－bの量が多くなっていました。Cb1－bとは、タンパク質の分解にかかわる酵素で、無重力ではCb1－bが増え、成長因子に含まれる萎縮を抑える働きをするタンパク質が分解されます。また、無

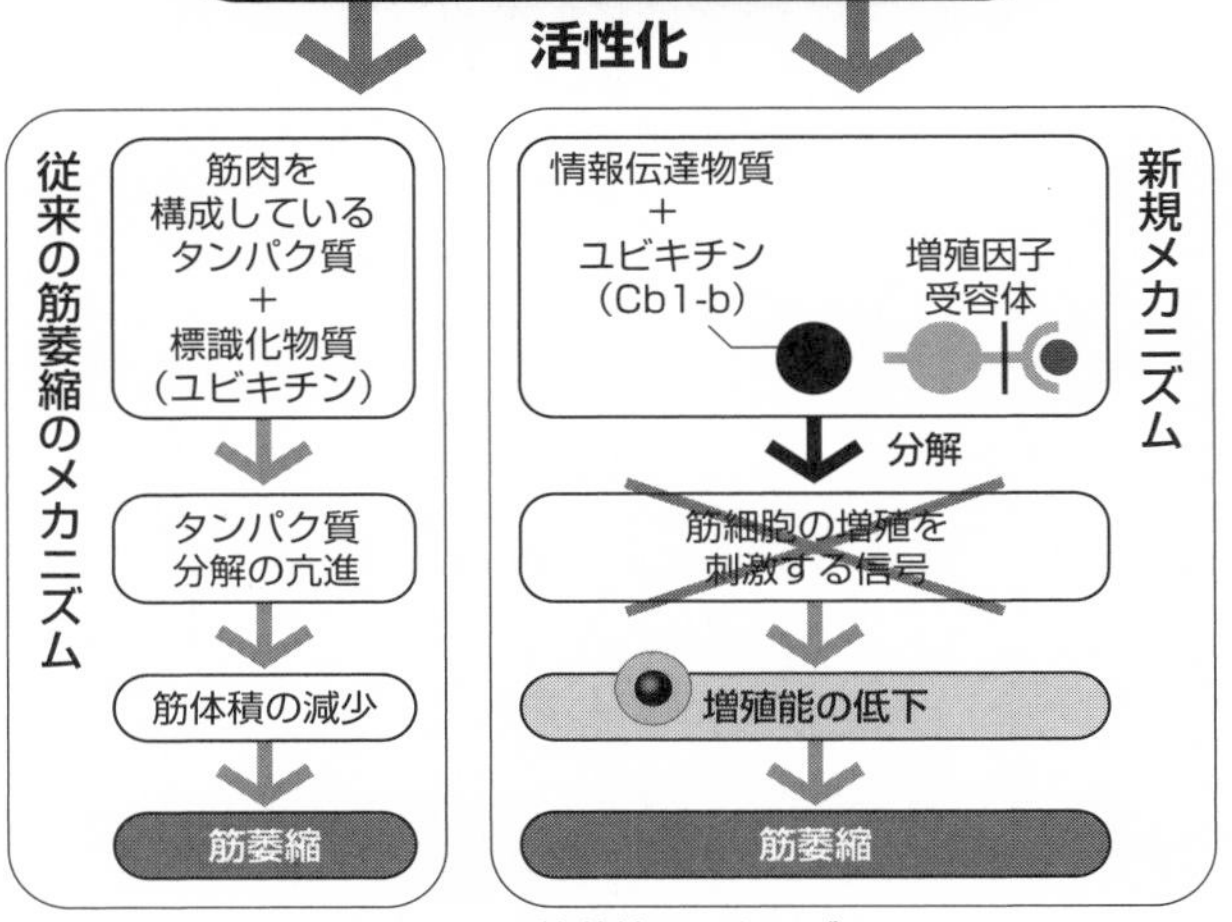

図2－2　筋萎縮のメカニズム

重力では細胞内部の酸化ストレス（活性酸素が細胞の機能低下や老化を引き起こす作用）が増大することもわかってきており、その影響でCb1－bの量が変化している可能性があります。無重力下ではこれらの理由によって筋肉の萎縮が進むと考えられています。

二川教授らはこの実験の結果を受けて、骨量の減少や筋肉の萎縮を軽減する、機能性宇宙食の開発に取り組んでいます。具体的には、筋萎縮を予防する大豆タンパク質や骨量減少を予防する大豆イソフラボンを含む大豆食品、さらには骨量を増加させる乳塩基性タンパク質を含むタブレット菓子、抗酸化活性を示す茶カテキン含有チョコレートなどの宇宙食を提案し、その有効性の実証を進めています。宇宙食は、たんに栄養素の補給だけでなく、無重力環境の人体への影響も考慮して考案されているものなのです。

2－2　無重力下で血液はどう巡るのか

宇宙に滞在する宇宙飛行士が、まず感じることが顔と頭の膨満感だそうです。無重力では血液が下半身に集まらなくなり、反対に上半身の血流が増加します。この現象は「体液シフト（Cephalad Fluid Shift）」とよばれ、健康状態と身体機能に大きな影響を及ぼします。地球上では、血液を腹部と脚から心臓に送り込んで頭に戻すために、心臓は強力なポンプの役割を果たしています。しかし、無重力下では、この機能は活用されなくなります。心臓に負担がかからないならいいことのように思えますが、これにより心臓血管系に有害な影響が生じるおそれがあります。実は、無重力環境での1～2週間の短期間のミッションでも、血液の量が減少することがわかっているのです。これは、場合によっては血圧を制御する能力が低下し、地球に帰還したときに失神を誘発する危険があります。さらに、心臓のサイズが小さくなり機能も低下してしまえば、激しい運動ができなくなるおそれもあります。

国際宇宙ステーション（ＩＳＳ）のように6ヵ月から1年の長期にわたって宇宙に滞在する場合、有酸素運動や抵抗運動などの適切な対策をとらないと、これらの健康障害は宇宙飛行士にとってより深刻な問題になります。心肺機能の低下は、筋肉、骨、視覚などの他の生理学的システムにも影響を与えることになり、食事、精神的ストレス、運動習慣、および放射線環境などの影響と相まって、長期的には心血管疾患を発症する原因となります。

では、どのように対処するのか？　２０１７年12月から２０１８年6月にかけて国際宇宙ステーションに滞在したＪＡＸＡの金井宣茂（かないのりしげ）宇宙飛行士による解説をもとに紹介します。

現在、国際宇宙ステーションには、ＡＲＥＤ（Advanced Resistive Exercise Device）とい

う運動マシンが設置されています。このAREDは、ピストン式の真空シリンダーを使って、地上と同じようにウェイト・トレーニングができるという優れたトレーニング機器です。適切な栄養管理（食事指導）と、最適化された運動プロトコル（運動方法）を組み合わせることで、骨量や筋肉量を維持したまま、6ヵ月から1年近くの長期宇宙滞在が可能となっています。

運動マシンは、ウェイト・トレーニングのためのAREDだけではありません。心肺機能を維持するためのランニング・マシン、エクササイズ・バイク（自転車漕ぎマシン）も設置されています。ランニング・マシンを使うには、上半身にハーネスをつけ、ゴムひも

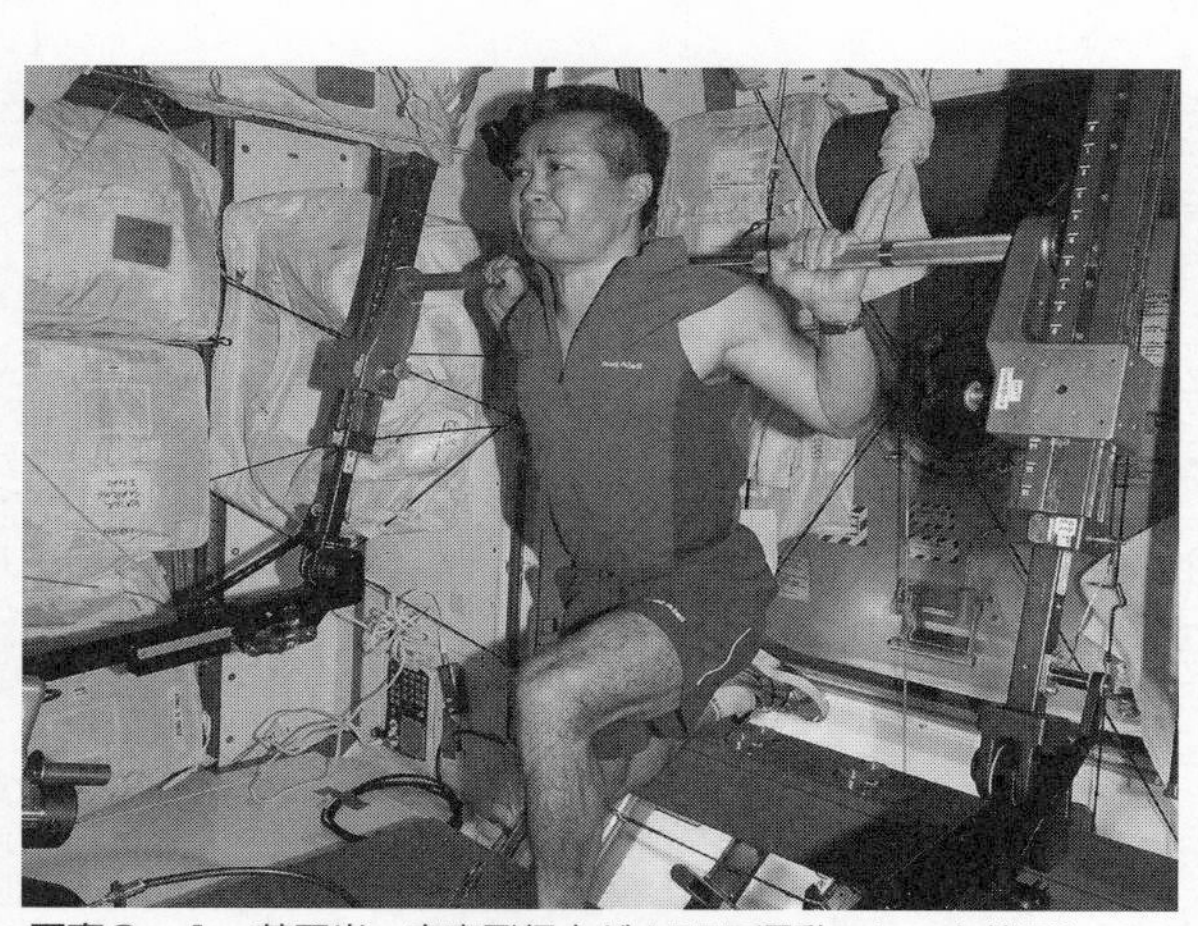

写真2－1　若田光一宇宙飛行士がARED運動マシンを使用しているシーン（NASA/JAXA）

の力で体を床面に押さえつけるようにして走ります。何だか走りづらい気もしますが、慣れると大丈夫だそうです。

エクササイズ・バイクは、ペダルの部分のみがありサドルはありません。無重力環境では両手で軽く上半身を支えるくらいで運動が行えるのです。慣れないうちは一輪車を漕ぐような難しさがあると聞きますが、体力を維持するうえではとても効果的な運動マシーンです。船外活動は6時間以上続くような重労働ですので、筋力だけでなく、心肺機能を含めた総合的な体力の維持がとても重要です。

このように宇宙空間では、私たちがジムに通うように、体の機能を維持するためのトレーニングは欠かせないものになるのです。

2－3　宇宙での生活の質は――孤立と幽閉、不適合と閉鎖環境

スペース・コロニーでは、複数の人間が閉ざされた空間で長期間一緒に生活します。この場合、気分、認知、士気、また対人関係の悪化などの問題が生じることは避けがたい課題となります。

また、地球上では、必要なときにいつでも家族や知り合いとコミュニケーションがとれるのに対して、宇宙では想像以上に孤立した環境に置かれることになります。加えて、睡眠不足、昼夜サイクルのずれ、仕事の過負荷などにより、身体機能の低下、精神や健康状態の悪化なども起こります。これらは、ミッションの失敗を招く原因になるかもしれません。

ここでロシアでの取り組みを紹介したいと思います。ロシアの医学生物学研究所（ＩＢＭＰ）では、数名の多国籍の被験者による長期閉鎖（隔離）実験を、モスクワにある研究施設で幾度も行ってきました。これは月や火星への長期ミッションに備えるための研究を目的にしています。この中には、日本から選抜された被験者も参加していました。１９９９年に行われた２６５日におよぶ隔離実験（ＳＦＩＮＣＳＳ・99）では、実験中に被験者間の相互不信によるトラブルが発生し、一部の被験者が実験を放棄する事態にまでいたりまし

図２－３　孤立

図２－４　昼夜サイクル

た。この事例では、文化や言葉の違いに対するお互いの理解や、実験中のストレスを軽減するための心理面でのサポートが十分でなかったことが原因だと考えられています。このような軋轢を軽減するために、長期滞在に先立って異文化交流訓練やストレス対処訓練などを行うことの必要性が提起されています。

このほか、ＬＥＤ照明のオン・オフにより、体が持っている概日リズム（Circadian rhythm）を調整することで睡眠・覚醒のサイクルを維持したり、日誌をつけることが飛行士のフラストレーション発散にも有効であるということがわかっています。また、その日誌をもとに、地上の管制センターから飛行士に対する心理的なサポートを適切に行えるというメリットもあります。

宇宙飛行士にとって宇宙船は仕事の道具であると同時に生活の場でもあり、常にその中で活動するため、船内の環境や生態系が宇宙飛行士の日常生活に大きな影響を及ぼすことは想像に難くないと思います。

それでは、船内の生活の質：ＱＯＬ（quality of life）を決定するものとはなんでしょう。その主要な要素は、気温、気圧、照明、騒音、および居住空間の使いやすさであることは大前提ですが、閉鎖された環境の中で健康で幸せに過ごすためには、これら以外にも食べ物、睡眠、運動を適切にすることが重要なのです。

ここで国際宇宙ステーションのQOL向上に関するユニークな研究の例を紹介しましょう。

日本女子大学の多屋淑子（たやよしこ）教授（当時）らによる、宇宙船内服の開発があげられます。国際宇宙ステーション内では洗濯ができないため、地上から輸送した衣服は汚れるまで着用して、その後は捨ててしまうという、非効率なうえにあまり衛生的でない方法をとっています。そこで、多屋教授らのチームは、日本の得意とする高機能消臭抗菌技術により、宇宙船内で着用する船内服を長期間清潔に保つことに成功しました。さらに、縫製方法や素材を工夫することで軽量化およびコンパクト化

写真2－2　人間工学にもとづいた快適な居住空間のイメージ（Geerati）

をはかり、船内で使用する衣服の枚数や重量を削減することにも貢献しています。これは結果として、着用後の衣服により発生するゴミの量を減らすことにも役立っているのです。ここで開発した船内服は、動きやすさ、肌触りの良さ、温熱的な快適さ、さらには美しさも兼ね備えています。この船内服は、2008年3月の土井隆雄（どいたかお）飛行士が参加したミッションを皮切りに、計4回のスペースシャトルミッションに採用され「宇宙の生活を快適にし、生活に彩りを

写真2－3　高機能消臭抗菌服（［株］J-Space）

与えた」と宇宙飛行士たちから好評を得ました。

これらの船内服は地上で活躍したこともあります。２０１０年にチリ北部コピアポ郊外で発生した鉱山落盤事故に際し、ＪＡＸＡは、前記の宇宙飛行士用の被服の技術を応用した消臭・抗菌性の高いアンダーシャツなど数十着を提供し、長期間地中に閉じ込められた被災者の健康の維持に貢献しています。

宇宙ステーションのような閉じた空間では、意外にも、細菌や真菌などの微生物が地上よりも活発に増殖することがわかっています。閉鎖環境では、これらの細菌やカビは、健康障害を引き起こす危険性が高いうえに、病原性微生物も人から人へ感染しやすくなります。その対策として現在の宇宙ステーションでは、尿と血液サンプルの定期的な分析などを行っていますが、これに加えて宇宙飛行士の健康状態を常時モニタできる、ウェアラブルなバイオセンサの活用が期待されています。

快適性と作業環境の効率性を追求した居住空間を実現することが、ＱＯＬの向上にとってもっとも有効な対策であることは明らかです。しかし、そのためには、人間工学にもとづいた作業場所や休憩スペースの設計に加えて、ＩｏＴを活用したリラクゼーションやアミューズメントの提供なども、今後取り組まなければならない課題と考えられています。新型コロナウイルスの感染防止対策として、不要不急の外出をしないようにと政府や自治体が要請していますが、長期にわたる外出自粛期間の中で、例えば家庭生活においてストレスを蓄積させないためにも、ここで開発した技術が役に立つのです。

2-4　宇宙放射線

宇宙環境でもっとも深刻な問題のひとつが宇宙放射線です、これは宇宙飛行士に重大な健康被害を引き起こす極めて危険な環境因子となります。

宇宙線について、まず説明します。地球の周辺軌道においては、３つのタイプの宇宙放射線が存在します。

（1）地球の磁場に閉じ込められた高エネルギーの陽子と電子（ヴァンアレン帯）
（2）高エネルギーの陽子と原子核から構成される太陽系外で発生した宇宙線（銀河宇宙線）
（3）太陽フレアにより高エネルギーに加速された陽子と電子

月探査や火星探査など、前章でも紹介したヴァンアレン帯を越える深宇宙のミッションでは、宇宙飛行士は銀河宇宙線と太陽エネルギー粒子に直接曝されることになります。下に示すグラフ（図2－5）は2001年4月に打ち上げられたNASAの火星探査機マーズ・オデッセイで計測された放射線被曝量と国際宇宙ステーションの被曝量を比較したものです。

一見してわかるように、火星探査では、同じ時間あたりに、国際宇宙ステーションの2倍以上の放射線を浴びることになります。また、DNAの破壊につながる重粒子を多く含んでいる銀河宇宙線の割合が多いため、火星などの惑星探査ミッションにおいては、放射線対策が最大の課題となることがわかり

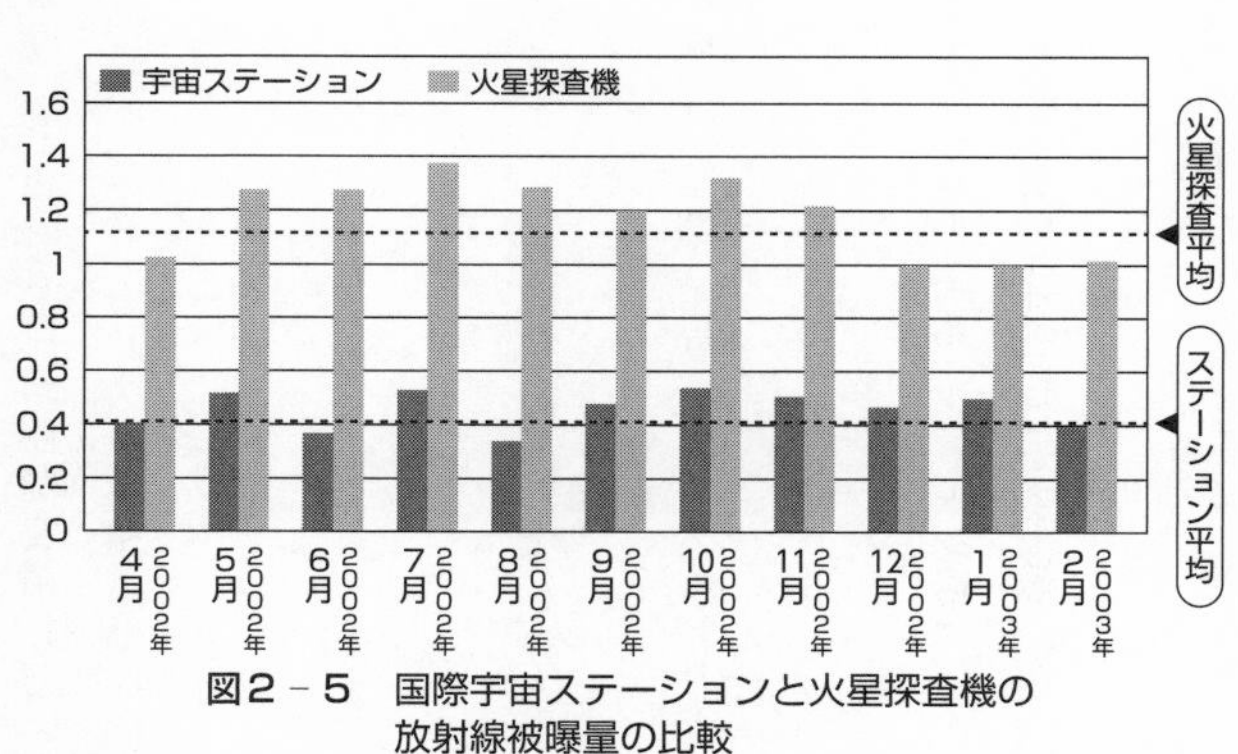

図2－5　国際宇宙ステーションと火星探査機の放射線被曝量の比較

（図中で用いられているmSv［ミリシーベルト］は、被曝による生体への生物学的影響の大きさを表す単位）

放射線による影響　積算被曝量、単位：ミリシーベルト（mSv）

高リスク

致命的な放射線症の可能性のあるレベル
極めて高いリスクで晩年に癌を発症する

10,000mSv…… 数日以内に死亡
5,000mSv…… 1ヵ月以内に半数が死亡
2,000mSv…… 急性放射線症

中リスク

直ちに症状は出ないが晩年に
重大な病気を発症する危険が増す

1,000mSv……… 癌になる危険性が5%増す
400mSv……… 1時間当たりの放射線量の場合、4時間被曝すると放射線症を発症
100mSv……… 癌の危険性が初めて顕在化するレベル

低リスク

無症状。検出可能な癌の危険性の増加はない

20mSv ………… 原子力関係の労働者の年間リミット
10mSv ………… 全身CTスキャン1回の平均被曝線量
9mSv ………… 航空機乗務員の年間被曝線量
3mSv ………… 1回のマンモグラム
2mSv ………… 日本の1年間の自然放射線量
0.1mSv ………… 1回の胸部レントゲン撮影

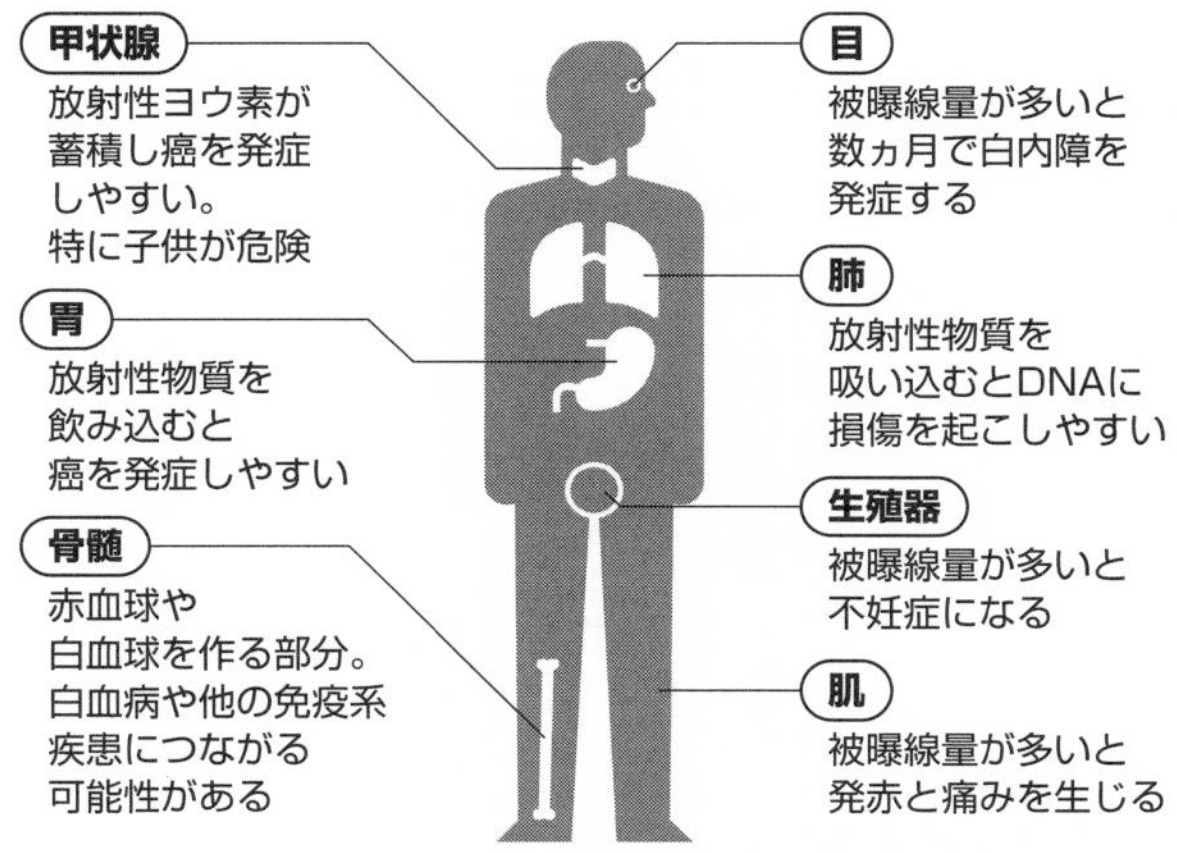

図2－6　人体の各部に対する放射線の影響の度合い

ます。

第1章で述べたように高エネルギー宇宙線はDNA分子を破壊するのに十分なエネルギーを持っており、たんに細胞の損傷にとどまらず生物を死にいたらしめる危険性が高いものです。人体の各部に対して、放射線がどのように影響するかについて図2-6に示しました。

この図の「低リスク（許容レベル）」の最大値である20ミリシーベルト（mSv）というのは、福島第一原子力発電所の事故の避難基準値と同じ値です。

放射線リスクを許容可能なレベルまで抑制するために、米国をはじめとする宇宙開発先進国は、さまざまな放射線対策を検討しています。その中には薬の服用などの生物学的対策に加えて、被曝量モニタ技術、遮蔽技術、および宇宙船内での退避行動なども含まれています。

地球上では、磁場や大気によって宇宙放射線から守られていますが、宇宙という環境が、人間にとっていかに過酷なものであるかがわかります。

2-5 地球からの距離

5つのリスクの最後は、地球との距離です。国際宇宙ステーションのように地球を周回する宇宙船では、地上からの定期的な物資の補給が期待できますが、地球から遠く離れた深宇宙や天体におもむく場合には、これが不可能になります。

燃料や機材などの物資については、あらかじめ必要な量を宇宙船に搭載しておけば長期にわたって使用することができますが、こと食料についてはそうはいきません。さらに、宇宙飛行士が加工された宇宙食を繰り返し食べる場合、同じようなメニューに飽きる（Food Fatigue）ことにより、食事がうまく摂れなくなり栄養摂取の妨げになることも考えられます。そのためメニューのバリエーションを増やしたり、生鮮食品を取り入れたりするなどの工夫が必要になります。

国際宇宙ステーションにおいても、安定した栄養素を確保するために、持ち込む食料品の配合、加工、包装、保存方法などさまざまな工夫がなされていますが、さらに月探査や火星探査といった長期にわたる、遠方での活動においては、補給を前提にした取り組みだけでは明らかに不十分です。そこで考えられているのが、宇宙船内での食料生産です。実は、国際宇宙ステーションでは、将来の長期宇宙ミッションに備えて実験的な野菜の栽培がすでに行われているのです。

次頁の下の写真は、国際宇宙ステーション内の水菜、サニーレタス、および東京べか菜の栽培風景です。

食料のほかにも、地球を遠く離れる長期宇宙ミッションでは、資源の再使用による循環型閉鎖環境の構築が重要です。空気や水も重要かつ限られた資源となるからです。

空気や水の循環・再使用の研究は、現在でもある程度は進んでいます。

国際宇宙ステーションには、ＷＲＳ（Water Recovery System）と呼ばれる水再生システムが搭載されており、トイレ（Waste and Hygiene Compartment）で回収した尿を、これを用いて蒸留して水に変換したのち、空気中の湿度から回収した水分や使用済みの水と一緒に、濾過／浄化処理して再生しています。再生された水は、飲料、食事、宇宙実験などに利用されるほか、酸素生成装置（Oxygen

写真２－４　国際宇宙ステーション内の野菜の栽培風景（NASA）

Generator System）でも利用されます。しかしながら、この水再生システムによる再利用率はまだ70～80%であり、また半年ごとにフィルター等の交換が必要であるため、月や火星の探査に向けて、この再利用率の向上とメンテナンスフリーの装置の開発を進めています。

さらに、これからは排泄物や使用済みの材料の再資源化の技術も不可欠になります。これは、ひとつの閉鎖系である地球にも当てはまることです。スペース・コロニーは、小さな閉鎖系として循環・再利用ができなければなりません。我々は、地球のミニチュア版を宇宙に構築して、地上と並行してこの問題の解決に取り組もうとしているのです。

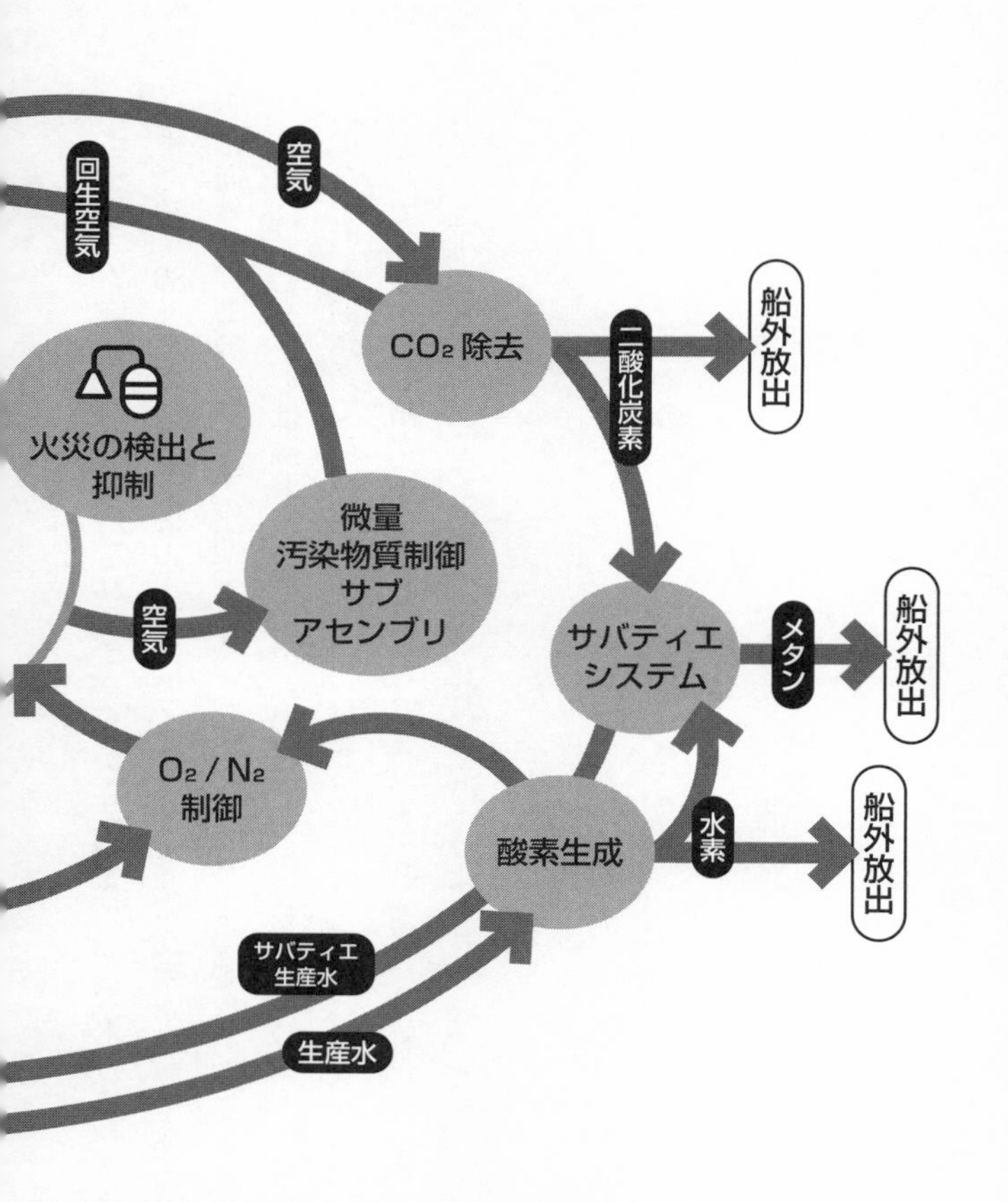

図2－7　閉鎖環境での水・空気再生のイメージ図

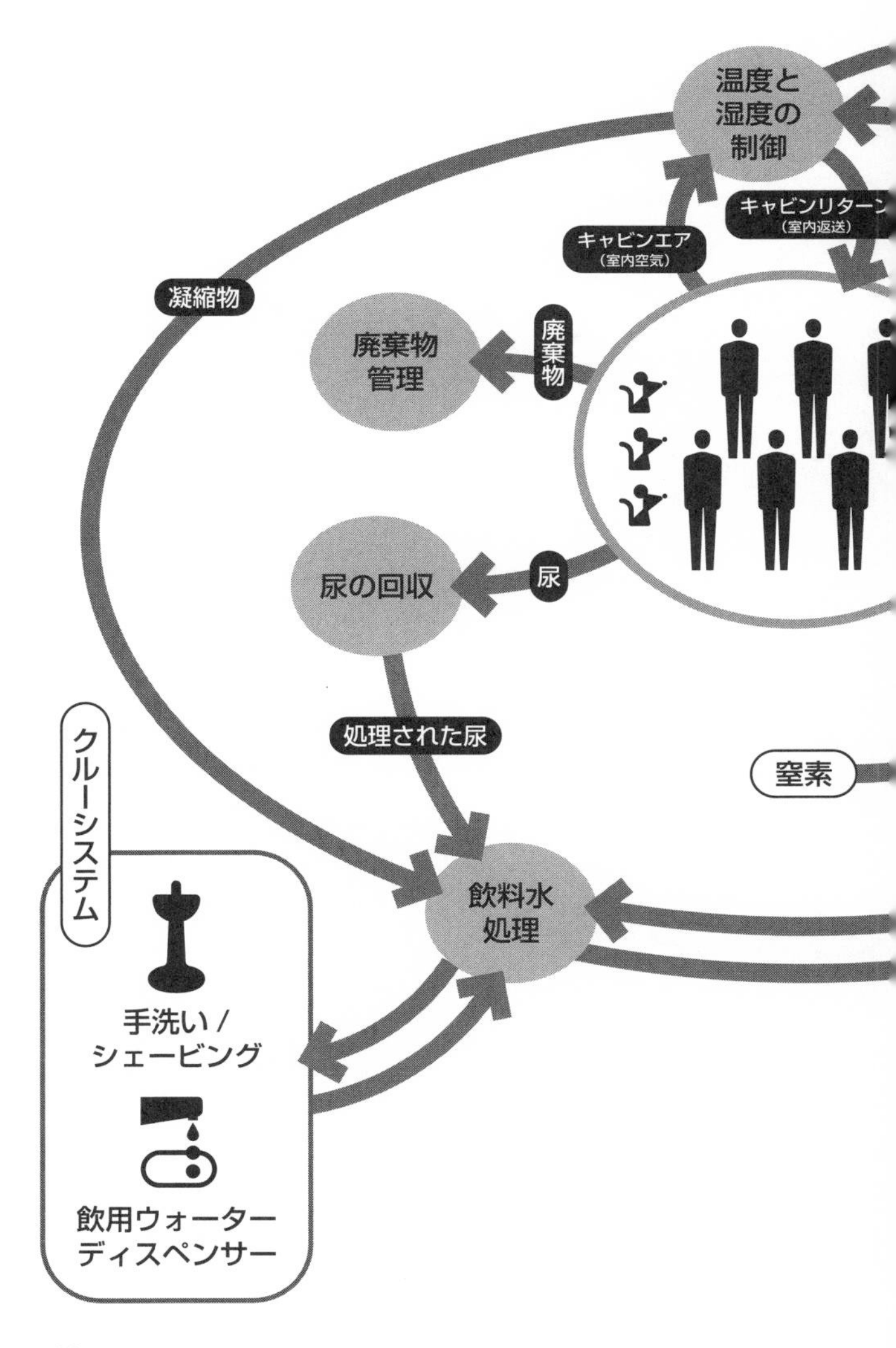
温度と
湿度の
制御
キャビンエア
（室内空気）
キャビンリターン
（室内返送）
凝縮物
廃棄物
管理
廃棄物
尿の回収
尿
処理された尿
窒素
クルーシステム
飲料水
処理
手洗い /
シェービング
飲用ウォーター
ディスペンサー

第3章

宇宙で暮らすためには

月面や火星へ人類が進出していくうえで、必要なものが活動拠点の構築であることはすでに述べました。第1章で紹介したように、いままさにこの活動拠点を実現するための研究開発が進められています。この章では、地球を離れて人が活動するために必要とされるさまざまな技術について紹介していきます。

3-1　居住環境をどう造るのか

月面での人類の活動環境を実現するためには、まず限られた人的資源で、自律的に、あるいは遠隔操作によって建築物を造る技術が必要不可欠です。宇宙開発では宿命的に、質量・サイズの制限が非常に厳しく、さらに、月・火星など遠方になるに従って、輸送能力までもが限られてきます。そのため拠点構築のすべてを人間によりまかなうことは困難となり、自律・自動・遠隔操作、あるいは非常に簡易な操作による居住空間を構築する技術が重要な意味を持ちます。

このような技術は、地上でも役に立つもので、建築作業の省力化や災害時など極限環境での拠点構築などとも密接な関係があり、地上と宇宙のデュアル開発が期待される分野です。

また、従来の宇宙ステーションは、軌道上で機能する有人居住空間が中心となりますが、地球とはまったく異なる天体の表面では、その天体固有の環境が存在し、その環境に適合しつつ、建築物を構築していく必要があります。

とくに、月面はレゴリスと呼ばれる非常に微細なパウダー状の砂に覆われています。そのため、工作機械の摺動部(しゅうどうぶ)への影響や作業員の健康への影響なども含め、さまざまな対策が必要になります。同時に、微細な粉塵のコントロール技術は、地上においても重要な技術のひとつとなります。そこで、このレゴリスの特性を模擬的に実現した「レゴリスシミュラント(月面模擬土)」も開発・販売されており、これを用いた効果的なシミュレーションを実現することが可能になっています。

また、月面での居住について考えるときに重要になるのが、第2章でも紹介した放射線の影響、さらには隕石への対策です。

地球上では、地球の磁気圏と大気によって放射線の影響から守られていますが、月面ではこれらの効果がないために非常に強い放射線に曝されます。また、月面には隕石が落下すること が知られており、大気による減速が効かないので月表面に激しく衝突し、その結果発生する破片などの影響も深刻です。

そこで注目されているのが、月に存在する「溶岩チューブ」と呼ばれる大きな地下空洞です。これは日本の研究グループによって世界に先駆けて発見されたものです。富士山麓の風穴と同じように、太古の月において溶岩が流れた跡が空洞として残ったものだと考えられています。その溶岩チューブでは、放射線や隕石などの影響を回避できることから、人類の月面開発の拠点として有望視されています。月面基地は、月の地下に造られるのかもしれません。ただし、このような地下空洞へのアクセスは現在の技術では非常に難しいという課題もあります。

そこで第一歩として、月面に小さく収納した軽量構造物を、簡易な方法で膨張させることで居住空間を構築することができれば、利用の可能性は大きく広がります。これは膨張式のテントのようなものを想像してもらえばいいでしょう。さらにこの構造物を起点にして、より大規模な活動拠点を構築することもできるようになります。このような考えから、スペース・コロニー研究センターでは、ＪＡＸＡや清水建設と共同でインフレータブル（膨張式の）構造物についての研究を進めています。このような簡易な操作で空間を構築する技術は、災害時の対応など地上においても役に立つ技術であり、実際に写真３－１のテントは、その機密性や簡便性から新型コロナウイルスの検査施設にも使われました。

有人無人の宇宙探査に限らず、軽いものを小さく収納して打ち上げ、宇宙において大きな構造体を構築する技術は、さまざまな応用が考えられます。例えば、これを太陽電池に適用すれば、小さく軽く柔軟な太陽電池を打ち上げ、軌道上で大面積の発電システムを構築することも可能になります。また、軽くて大きな構造体は、大気圏への再突入を考えたとき、大気との相互作用による減速効果が大きいので、役割を終えた衛星などを地球周回軌道から離脱させるための装置（デオービット装置といいます）

写真３－１　スペース・コロニーのデモンストレーション・モジュール

や、火星などの惑星大気を利用した着陸用ブレーキなどへの応用も考えることができます。このように、小型収納・展開技術は宇宙と地上で活用できる有望な技術なのです。

3-2 宇宙で働くロボット

人類の宇宙進出を進めるうえで、非常に重要な役割を担うものがロボットです。SF映画でも宇宙探査船には、必ずといっていいほどロボットが乗り組んでいるものです。人類が宇宙で拠点を構築し活動を広げていくためには、それに先立って必要な探査作業や、居住空間などの設備構築、さらにはメンテナンス作業など、そのすべてを貴重な人力で担うことは実際的ではありません。これらの作業をロボットや高機能な工作機械と分け合うことができれば、作業の効率を飛躍的に高めることができるだけでなく、人間を危険な宇宙空間での作業から解放することができます。

国際宇宙ステーションでは、現在すでに日本実験モジュール「きぼう」（ＪＥＭ）で稼働中の「きぼう」ロボットアーム・ＪＥＭＲＭＳ（JEM Remote Manipulator System）や、カナダの開発したロボットアーム・ＤｅｘｔｒｅやＳＳＲＭＳ（Space Station Remote Manipulator

System）などが、宇宙ステーションの構築やメンテナンスなどさまざまな作業を担っています。これらのロボットアームは、宇宙飛行士が船内から操作することができ、それによって船外活動の回数を減らすことが可能となるため、オペレーションの安全性の向上や宇宙飛行士の身体的な負荷の軽減に多大な効果がありました。

船外活動は宇宙飛行士にとって危険な作業であるだけでなく、その準備作業や作業後の対応も、非常に大きな負担になります。

ここで一つ皆さんに質問をします。宇宙飛行士が船外活動を行う際に着用している宇宙服は何気圧だと思いますか？　多くの方は1気圧だと答えるのではないでしょうか。実は宇宙服を1気圧の空気で満たしてしまうと、船外活動中に膨らんで

写真3－2　JEMRMS（NASA/JAXA）

しまい、抵抗となって作業を行うことができなくなってしまうのです。そのため宇宙服の中は通常0・4気圧に減圧する必要があります。ここで注意しなければならないことが、減圧症（潜水病）という問題です。急激に低い気圧下にさらされた人体では、体の中に溶け込んでいる窒素などの気体が過飽和状態になり、血管や細胞中に気泡が発生します。この気泡が血管障害や組織破壊などを引き起こすのが減圧症です。そのため、宇宙飛行士は船外活動に出る前に、徐々に気圧を低下させて減圧された環境に体を慣らす必要があるのです。宇宙飛行士が船外活動を行うためには、実際の作業時間以上に長時間拘束されることになります。宇宙ステーション内から操作するロボットアームは、このような負担から宇宙飛行士を解放する点において非常に大きな意味を持

写真3－3　Dextre（特殊目的ロボットアーム）（NASA）

っています。しかし、例えば月面に活動拠点を構築しようとするさいに、ロボットの操作のために搭乗員が専従していては、作業効率は上げられません。もちろん、ロボットによる全自動活動が理想ですが、このような拠点を形成、維持していく作業は複雑で、状況をあらかじめ予想することも困難でしょう。

そこで、単純な作業はロボットの自律性に任せ、複雑な作業は人間が地上から操作するという、2つの操作方法を組み合わせた技術——シェアード・インテリジェンスの実現がもっとも重要であると考えられています。そのために、先ほど紹介した「きぼう」実験モジュールのロボットアームでは、一部の機能を地上からの遠隔操作によって実現している

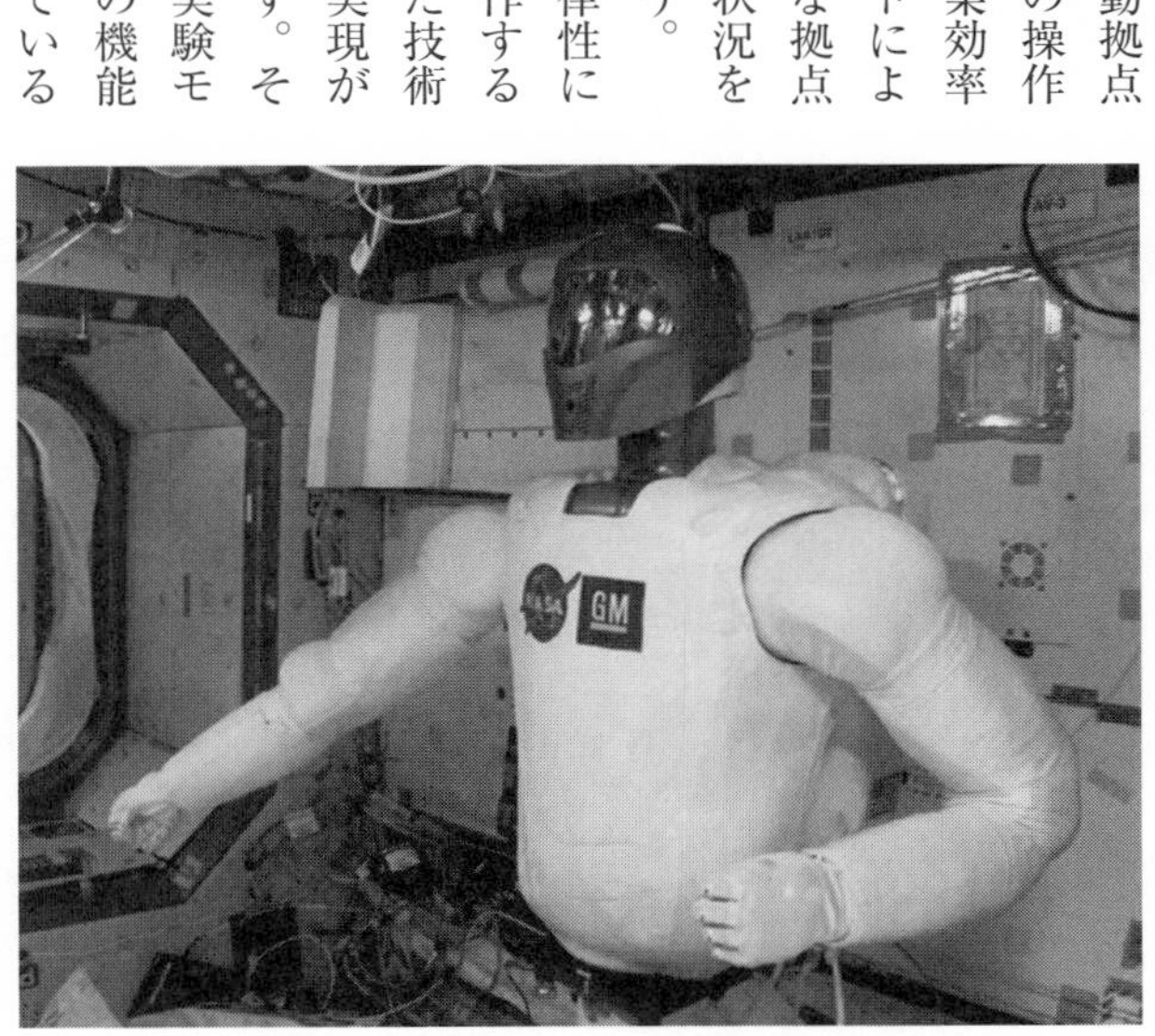

写真3－4　ロボノート（Robonaut）（NASA）

のです。

　さらに、ＮＡＳＡはロボノート（Robonaut）というヒューマノイド型のロボットを用いて、国際宇宙ステーション内の宇宙飛行士の作業を肩代わりさせる実験を行っています（写真３－４）。また、ＪＡＸＡは、「きぼう」の内部を自由に動くことができ、さまざまな視点から映像を撮影して、宇宙飛行士の船内作業をサポートするユニークなロボット「イントボール（Int-Ball）」（写真３－５）を開発し実験を行っています。

　宇宙ロボットを遠隔操作するさいに問題になるのが、ロボットの作業状況の適切な把握と通信に要する時間遅れの影響です。宇宙空間にいるロボットは直接目視することができず、また

写真３－５　イントボール（Int-Ball）（JAXA）

音や振動などの情報が得られない環境で作業する場合が多く、利用できる画像情報（視野や解像度など）、さらに力・トルクなどの工学値データも限られています。遠隔操作では、このような限定された情報の下で、状況を適切に判断し、操作を行わなければなりません。

また、宇宙と地上の間では通信の時間遅れも発生します。この通信遅れは、データ伝送の過程で計算機による信号処理が介在するために、物理的な電波の伝搬時間以上に大きなものとなります。よくテレビの衛星中継でのやり取りに発話者との時間遅れが起こりますが、これは電波の伝搬遅れに信号の処理時間が重なって起こる時差なのです。実際に、地球の低軌道とのリンクにおいても数秒以上のレベルとなります。このような状況下

図3－1　技術試験衛星Ⅶ型「おりひめ・ひこぼし」イメージ（NASDA/JAXA）

では、ジョイスティック（操作レバー）などによる直接的な遠隔操作は非常に操作性が悪く、さらに力覚フィードバックと呼ばれる、ロボットアームが実際に物体に触れたさいの感覚（力覚）を、擬似的に作業員にフィードバックする技術などを使うと、システムが不安定化し大きな問題となります。

1997年に打ち上げられた、世界初のロボット衛星となる技術試験衛星Ⅶ型「きく7号」（おりひめ・ひこぼし）では、宇宙飛行士のサポートが一切受けられない完全無人で、さまざまな遠隔操作技術についての研究・実験が行われました。この衛星では、取得できる情報はロボットの手首と肩に取り付けられた毎秒2枚の画像に限られ、また通信遅れは4秒以上という困難な環境下でした。この実験を行った通信総合研究所（現・情報通信研究機構）は、遠隔操作時の情報提示手法の重要性に着目し、ロボットの動作状態、とくにロボットの手先にかかっている力に応じて、モータ音などの合成音を生成することで、

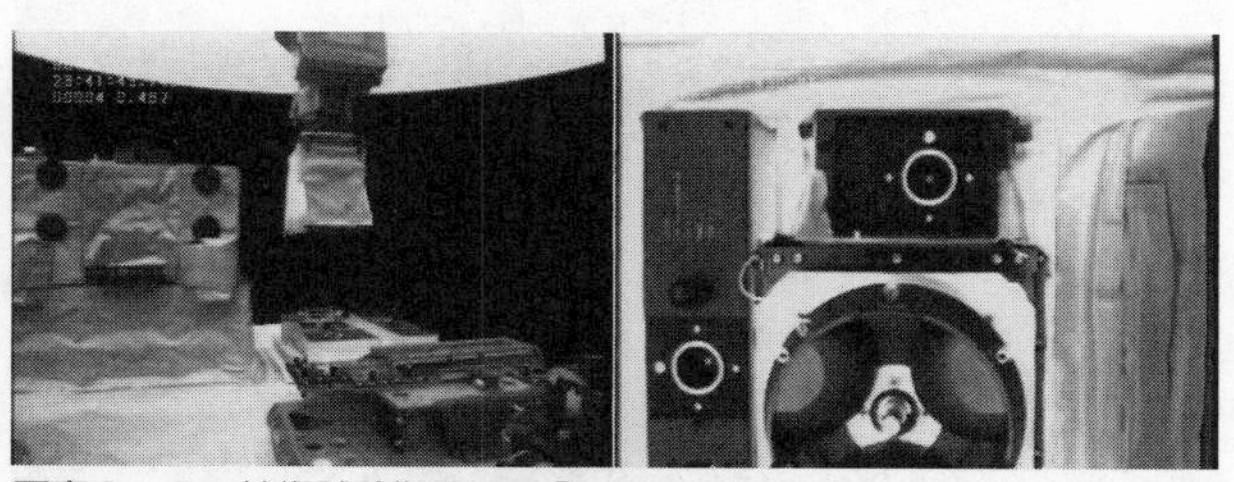

写真3－6　技術試験衛星Ⅶ型「おりひめ・ひこぼし」でのロボット実験の画像（左：肩監視カメラ画像、右：手先カメラ画像）
（NASDA/JAXA）

操作を行う人間に対して実体感を高め、操作性が向上できることを示しました。

これらの実験から、時間遅れのある環境で宇宙ロボットを活用するうえで、次の３つの点が重要であることがわかってきています。

（１）　宇宙ロボットにコンプライアンス制御（ロボットの手先にかかる力情報を使って、過剰な力がかからないようにロボットの動作を制御する技術）など自律的な制御技術を導入することで、地上と宇宙ロボットの間で適切な作業分担を実現すること。

（２）　作業状態を理解するために、さまざまな視点の画像情報を得ること（写真３－７）。

（３）　情報の提示方法を工夫し、地上での操作

写真３－７　アイマークレコーダーを用いた遠隔操作実験
（東京理科大学）

者の作業の実体感を高めること。

月面などでの宇宙ロボットの遠隔操作を考えた場合、時間遅れはさらに大きくなることが予想され、宇宙ロボットを効率的に活用していくためには、より大きな時間遅れに対応したシステムの実現が必要になると考えられています。

これらの問題について、スペース・コロニー研究センターでは、次のように技術を発展させつつあります。

（1）　搭載機器の高知能化を実現するために、民生技術を活用した衛星搭載高機能計算機の開発と、故障や想定外事象に柔

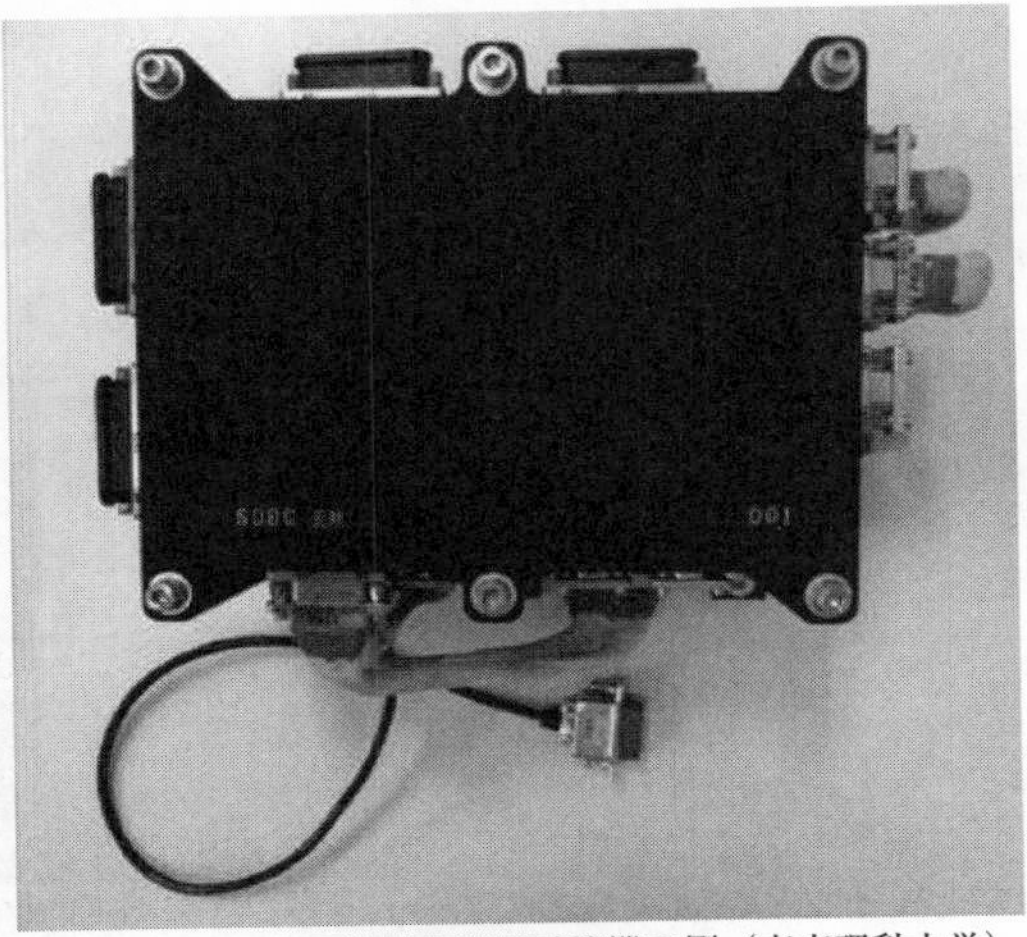

写真3－8　衛星搭載高機能計算機の例（東京理科大学）

軟に対応するソフトウエア技術の開発を進め、それらを東京大学が開発した「ほどよし」衛星3号機、4号機、超小型深宇宙探査機「PROCYON」などに搭載して、複雑な衛星ミッションを自律的に実現できる演算能力を検証した。

（2）小型衛星にも搭載が容易な小型軽量監視カメラシステムを民生技術を活用して開発。これを小型ソーラー電力セイル実証機「IK

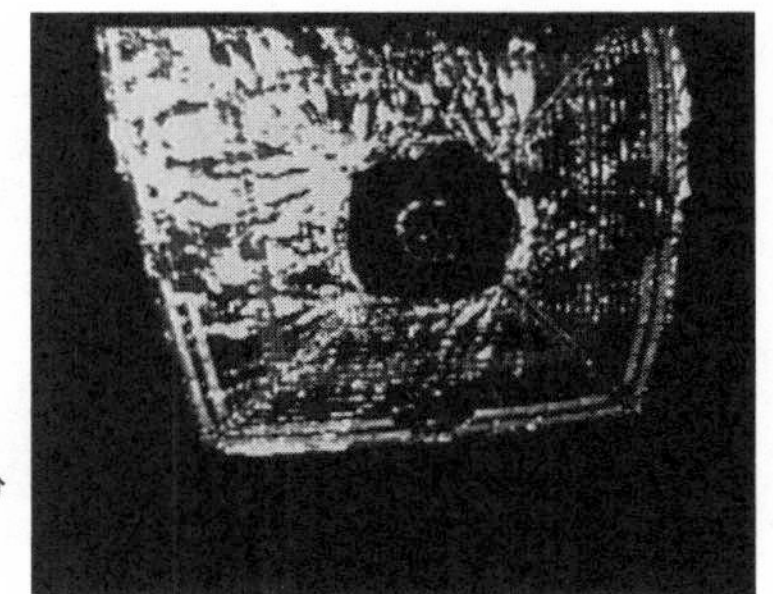

写真3－9　IKAROSの分離カメラと取得画像
（東京理科大学）

AROS」や小惑星探査機「はやぶさ2」などの宇宙機に搭載して打ち上げて宇宙空間に放出し、多様な視点からこれらの宇宙機の画像を取得することに成功した。

（3）　時間遅れの大きな環境での遠隔操作については、東京理科大学内に、通信時間遅れを人為的にコントロールできる実験設備を整備し、研究を進めている。時間遅れの大きな通信路の場合、コントロール手法だけでなく、通信プロトコルにも強く影響することから、この設備を用いて、情報提示手法の検討に加えて、通信ネットワーク技術についても合わせて研究を行っている。また、衛星軌道上のような微小重力環境や月面のような低重力環境においては、さまざまな操作を行ううえで、どのようなインターフェースが望ましく、操作性がいいのかという問題についても考える必要がある。音声インターフェースやジェスチャーインターフェースなどのいろ

写真3－10　はやぶさ2のタッチダウン時の画像を取得したCAM-Hと取得画像（JAXA）

いろな方法についても、並行して検討を進めつつある。

このような情報の共有・提示手法は、より遠くの宇宙へ人類が進出していくうえで、別の意味でも重要になってくると考えられています。月・火星への宇宙進出を考えると、その搭乗員は非常に長期間、容易には地球に帰ってこられない環境で、孤立した状態で過ごすことになり、これは精神的には非常に大きな負担になると懸念されています。そこで、プロジェクションマッピングなどさまざまなテレイグジステンス（遠隔実体感）技術を活用して、遠くの宇宙を地上とつなぐことができれば、搭乗員の精神的負担の軽減にも寄与するのではないかと考えています。現在、開発が進められているロボットとリンクしたアバター技術の開発は、こうした問題への一つの可能性を示しているかもしれません。このように地上民生技術を含めたさまざまな技術を活用しつつ、人類の宇宙進出を一層促進するためのロボットシステム実現への研究が進められています。

3-3 ウェアラブル・デバイス

第2章で紹介したように、宇宙空間では、宇宙飛行士の生理循環メカニズムを維持するためにトレーニングが必要です。そのため宇宙飛行士の健康状態の情報を簡易かつストレスなくモニタリングできるウェアラブル・デバイスが開発されています。この分野においては、小型・軽量化の技術が進み、さらに無線通信技術の進展によって、さまざまなデバイスが従来の携帯（持ち歩き）型からウェアラブル型へと進歩してきました。実際に、皆さんもご存じのアップル・ウォッチのように活動量や体温、血圧、心拍数などの健康状態をオンラインで記録できるウェアラブル・デバイスも数多く登場しています。宇宙空間においても、これらの機器をうまく活用することで、負荷が少なく、効率的なトレーニングを行うことが可能となります。

一方で宇宙飛行士においては、体温、血圧、心拍数などの物理情報を得るだけでは、トレーニング中の運動負荷管理などは不十分であるという意見もあります。そこで唾液、涙、汗などの体液に含まれている成分（例えばグルコース、乳酸、ナトリウムイオン）をモニタリングするウェアラブル・バイオセンサの開発が、現在、世界各国で行われています。このウェアラブル・バイオセンサは、身に着けるだけで運動効率や疲労度なども診断でき、新たなヘルスケアツールとしての応用も期待されています。

実は、この技術において重要なものが電池なのです。ウェアラブル・デバイスでは、一般的にリチウムイオン電池やコイン型空気電池が搭載されています。ウェアラブル・デバイスの着装感の低減のためには、デバイスだけではなく電池を小型化する必要があるのです。

ただ、電池を小型化すると電池容量が下がります。そのため従来の電池では、充電頻度や交換頻度が上がってしまうという問題が生じます。また小型化したときの安全性や製造コストも問題になります。

このような背景から、いま研究が進められているものが、光や振動、または熱などの身近な環境エネルギーから電力を得る環境発電技術（エネルギー・ハーベスティング技術）です。ウェアラブル・デバイスでは、稼働時に常に安定した電力供給が求められるため、エネルギーを十分に持続的に供給可能な環境発電技術の確立が望まれます。そこで筆者たちのグループが行っている研究では、バイオ燃料電池に注目しています。バイオ燃料電池とは、生体触媒を電極触媒として利用する燃料電池の一種です（詳細は3－4節で説明します）。

まず触媒とは、そのもの自体は反応せずに、化学反応の速度を速める作用のある物質のことをさします。ここでいう生体触媒とは、生物の持っている酵素やタンパク質などを触媒として電池に利用するものです。安定で安全かつエネルギー密度の高いエネルギー・キャリアである有機物（とくに糖類）から、生体環境に近い非常に穏和な条件で発電できるというメリットが生体触媒にはあります。

このようなバイオ燃料電池のウェアラブル・デバイス用電源としての優位性は、比較的低コストで高容量化が可能であり、配線や電極触媒を紙や不織布などに印刷することで柔らかくて軽く、生体親和性の高いフレキシブルな電池を形成できることです。また、体液を燃料とすることも可能であり、体液中の成分（例えば汗中の乳酸）で発電し、自動でデバイスを駆動またはは充電することも可能になります。汗や尿または唾液中の成分で発電し、その出力を用いて無線通信デバイスを駆動させることもできます。このとき、体液中の成分濃度が高いと発電量が大きくなるため、無線通信デバイスの通信頻度が高くなります。これを利用して体液成分を測定する自己駆動型ウェアラブル・デバイスの実用化も期待できます。

例えば、まず汗中の乳酸を燃料としてバイオ燃料電池を用いて電力を取り出します。この電力をコンデンサなどに蓄えて、ある一定の電力が貯まったところでBluetoothなどを駆動させて信号を飛ばします。このときに汗中の乳酸値（乳酸濃度）が高いと、バイオ燃料電池の発電量が大きいため、信号を飛ばす頻度が高くなります。上記の場合、無線伝送の頻度は乳酸濃度に依存するため、通信頻度から乳酸濃度を測ることもできます。

このように自己駆動型デバイスは、軽くて着装感のない次世代のウェアラブル・デバイスとなり得るため、世界各地で研究が進められているのです。

ここからは宇宙計画として利用が注目されている体液を用いた自己駆動型デバイスに特化して話を進めていきたいと思います。

これまでに涙中から発電し、糖分濃度を測定する〈コンタクトレンズ型〉、唾液から発電し、ストレスマーカーをモニタリングする〈マウスピース型〉、汗中の乳酸から発電し、乳酸濃度をモニタリングする〈パッチ型〉などの研究が増えています。

現状では、無線通信デバイスを駆動させるために出力をより高める必要や、デバイスの駆動安定性、保存安定性を改善することが実用化のための課題となっています。

本節では、バイオセンサ、バイオ燃料電池について概説した後、筆者らが開発してきた印刷型多孔質炭素電極および体液発電を目指した自己駆動型デバイスについて紹介していきます。

まず、バイオセンサの原理について紹介します。

我々の舌は、5つの基本味（甘味、塩味、旨味、苦味、酸味）を感じわけることができます。それぞれの味に対応する物質は、舌にある味蕾とよばれる味覚細胞に捉えられ、味覚細胞の細胞膜を構成しているレセプタータンパク質や脂質分子に結合します。この結合により、細胞膜の電位が変化することで、最終的には電気信号に変換されて味の情報が脳へと伝搬されます。このように生体分子が物質を見分ける能力をうまく利用すると、我々の体内や食物、環境の中に、ある物質がどれだけ含まれるかを測定することが可能となります。バイオセンサは、このような生体や生体分子などの持つ優れた分子認識機能を利用した計測デバイスなのです。

現在市販されているバイオセンサの代表例としては、糖尿病治療のために血糖値を測るグルコースセンサがあります。糖尿病とは、血液中のグルコース（ブドウ糖）濃度、すなわち血糖値を調節しにくくなる病気のことで、血糖値が高くなりすぎたときにインスリンを投与しないといけな

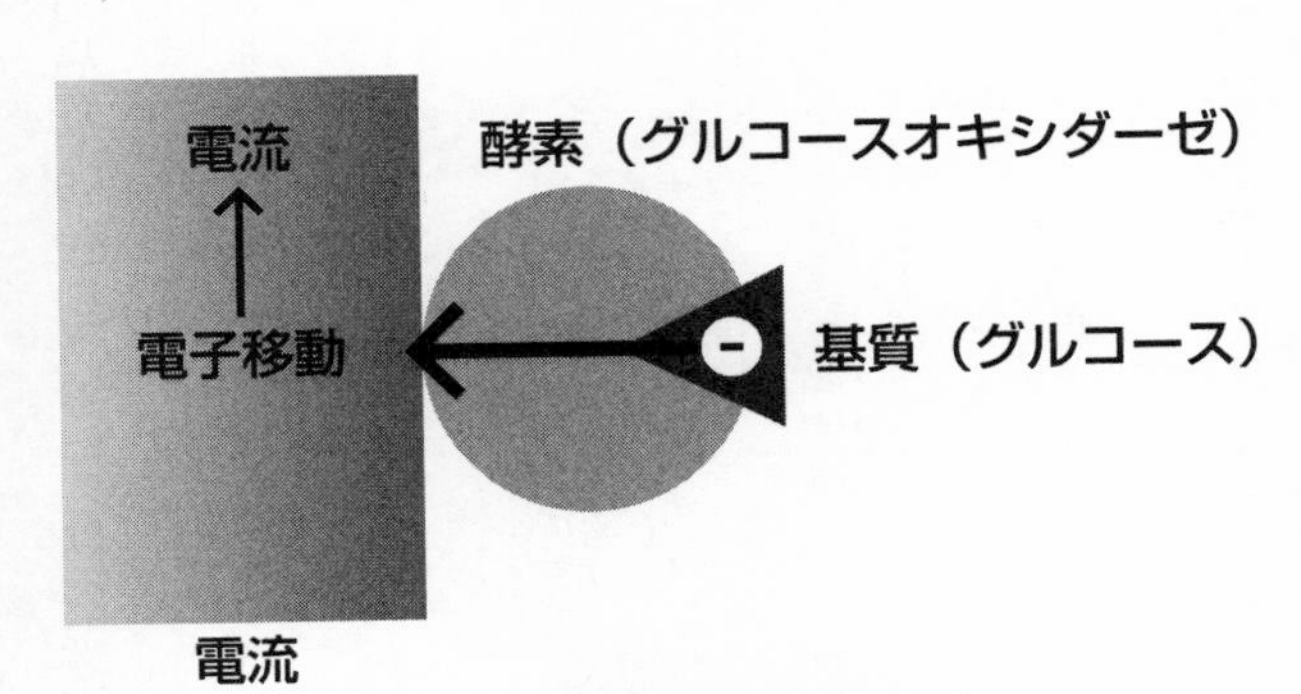

図3－2　グルコースセンサの原理

いため、血糖値を適時測定する必要があります。

グルコースセンサの原理を解説したものが図３－２になります。グルコースセンサには、グルコース酸化酵素（グルコースオキシダーゼ：ＧＯＤ）やグルコース脱水素酵素（グルコースデヒドロゲナーゼ：ＧＤＨ）という酵素が用いられます。これらの酵素はタンパク質分子であり、グルコースから電子を引き抜く（酸化）反応を促進する触媒です。ＧＯＤやＧＤＨはグルコースのみを認識し、他の分子とは反応しません。これは、ちょうど鍵と鍵穴のような関係になります。

このＧＯＤやＧＤＨを電極に乗せて、グルコースから引き抜いた電子を電極に渡すようにすれば電流が流れます。測りたいものに含まれているグルコースの濃度が高ければ、多くの電子が電極に渡されるため、流れる電流は大きくなります。結果、電流値の大きさからグルコース濃度がわかるという仕組みです。

３－４　バイオ燃料電池の仕組み

バイオ燃料電池とは、前節で説明したように酵素を乗せた電極を利用した燃料電池です。ここでその発電原理や私たちが開発を行っている「印刷型多孔質炭素電極」などを詳しく解説していきます。

自然界にはさまざまな酵素が存在しています。そしてあるものは、通常の反応過程では大きなエネルギーが必要となる生体関連物質の酸化還元を、より少ないエネルギーで行う働きがあります。この酵素を触媒として用いることで、小さなエネルギーで非常に緩和な条件下（常温・中性溶液中）で化学反応を進行させることができます。バイオ燃料電池では、生体触媒として酵素を使う場合には「酵素型バイオ燃料電池」、微生物を使う場合には「微生物型バイオ燃料電池」とよびますが、ここでは「酵素型バイオ燃料電池」のみを取り上げます。

図３－３に、バイオ燃料電池の発電原理の模式図を示しました。

図を見ると負極（Anode：アノード）では、例えばグルコースオキシダーゼ（ＧＯＤ）を電極上に固定する

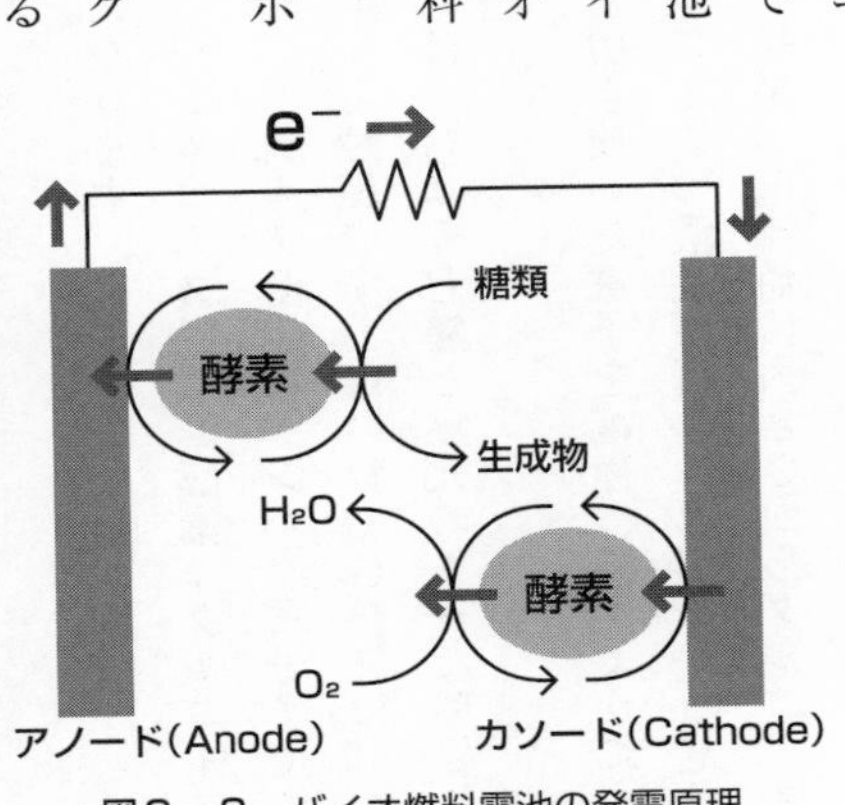

図３－３　バイオ燃料電池の発電原理

と、グルコースの酸化反応が生じて電子が電極に引き抜かれます。そのとき、正極（Cathode：カソード）に酸素還元反応を触媒する酵素（例えばラッカーゼ）を固定すると、大気中の酸素に電子を受け渡し、水になる反応（還元反応）が生じます。

ブドウ糖などの糖類は膨大なエネルギーを取り出すことが可能な物質の一つです。例えば角砂糖1個（約4g）の燃焼のエネルギーは単4乾電池6本に蓄えられるエネルギーに相当します。このためバイオ燃料電池は、次世代のエネルギー・ハーベスティング技術（環境発電技術）として注目されています。

ウェアラブル・デバイス用電源を考えたときに、バイオ燃料電池の利点は多くあります。比較的低コストで高容量化が可能であり、柔らかくて軽い人体との親和性の高いフレキシブルな電池を形成することもできます。また、前節で紹介したように体液中の成分で発電し、かつ体液中の成分濃度を測定する自己駆動型ウェアラブル・デバイスとすることもできます。

ウェアラブル・バイオ燃料電池を自己駆動型センサとして使用する場合の一例として、収集したエネルギーをキャパシタ（コンデンサ）などに蓄えて、電力量がある閾値（いきち）を超えたときに、その情報を無線で飛ばして受信するという形式があります。このとき、情報をより高速で無線通信するためには、バイオ燃料電池の高出力化が重要になります。ウェアラブル化して使うという観点からいえば、高出力化＝電池のサイズを大きくするということはできません。そこで、出力を高めるために、触媒として用いる酵素の機能性を高め、より燃料と反応しやすくすること、さらには〈酵素－電極反応〉に適した電極の設計（ナノ界面での構造制御）、安定に酵素を固定化する手法の確立などが必要になります。

それでは、高い出力を有し、なおかつ安定的に長時間駆動するバイオ燃料電池を実現するためにはどうすればいいのか。筆者たちは、そのために電極に用いられる材料、さらには印刷技術を用いることでウェアラブルかつ体液から発電可能な高性能なバイオ燃料電池の開発を行ってきました。

3－3節に「印刷」という言葉が出てきましたが、実は、バイオ燃料電池の基板として紙はとても適した素材なのです。紙は安く手に入れることができ、軽くて持ち運びも容易であるうえに、保存性もよく、使用後には焼却・破棄できます。また、紙は基本的にセルロースまたはセルロースポリマー混合物から構成されています。そのため生体への親和性が高いという利点もあり、化学物質を固定することも容易です。さらに、理科の実験で習ったように毛細管現象を利用することで溶液を移動させることができ、外部からポンプによって送液する必要がなく、その親水性繊維内に液体を浸透させることができるという特徴があります。

ここで、スクリーン印刷を用いた紙基板バイオ燃料電池の一例を紹介します。スクリーン印刷とは版に細かな孔が開いていて、その孔からインクが印刷面（紙など）に移るという仕組みで、かつて家庭で年賀状を刷るさいに利用した「プリントゴッコ」などに使われている印刷方式です。

私たちのチームが開発した、電極に酵素の固定化に適した多孔質炭素材料を用いた、紙基板バイオ燃料電池を紹介します。

図３－４は、和紙の上に、導電性のあるカーボンインクを印刷し、その上から自作の多孔質炭素インクを印刷した電池です。アノードには、ＧＯＤと電子伝達物質（酵素から電極へ電子を渡すのを仲介する物質）であるテトラチアフルバレン、カソードには、ビリルビンオキシダーゼ（ＢＯＤ）を固定化し

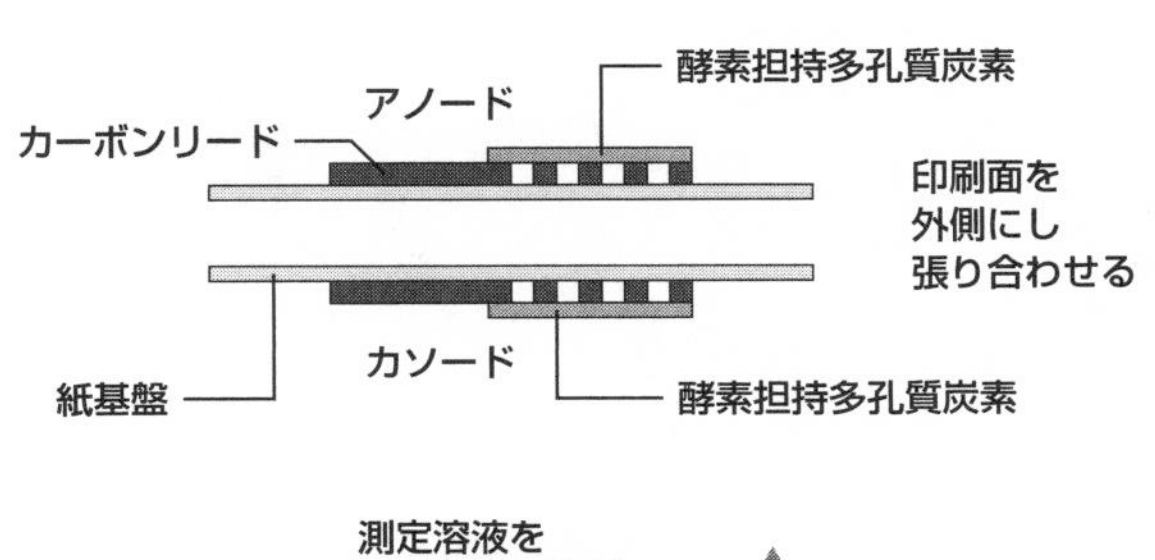

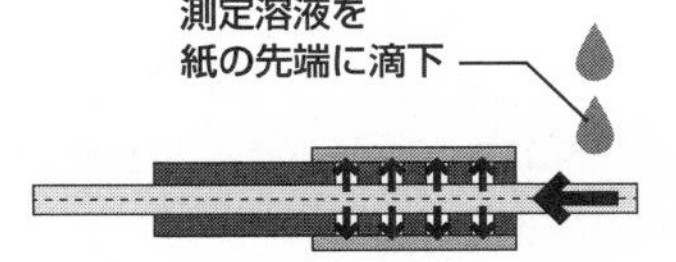

図３－４　紙を基板としたバイオ燃料電池

ています。この紙基板バイオ燃料電池では、溶液は紙の中に浸透したあとに、導電性のあるカーボンインクに形成されている孔を通って、多孔質炭素層に到達します。アノードでは溶液に含まれているグルコースとＧＯＤの酵素触媒酸化反応が生じ、カソードでは、溶液は電解液として機能し、燃料である酸素が大気中から供給されます。このようなバイオ燃料電池は、単電池で開回路電圧０・７Ｖ、出力密度が１００Ｗ／㎠以上となります。この出力（密度）は、通常の燃料電池と比べると小さい値ですが、近年開発されたチャージポンプ式の省電力無線電送デバイスを十分駆動させることができ、送信された情報はスマートフォンで受信することもできます。

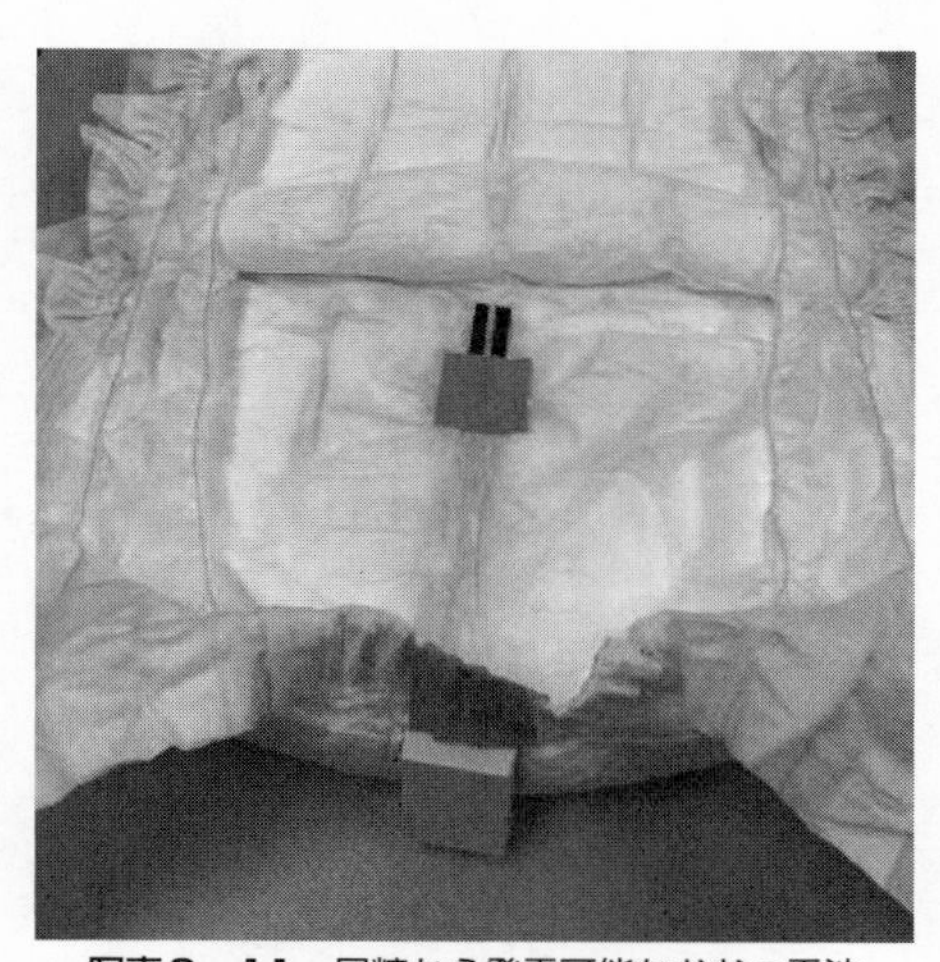
写真３－１１　尿糖から発電可能なおむつ電池

現在、この紙の電池をおむつに組み込むことで、尿をしたときの尿糖で発電する酵素型バイオ燃料電池、いわゆる〈おむつ電池〉の開発をしています。おむつ電池では、紙を用いたグルコースバイオ燃料電池を搭載することで、尿糖から発電して、尿をしたことを検知し、かつ尿糖をモニタリングすることも可能となります。おむつ電池は、介護現場でのおむつの交換時期を知ることができるとともに、尿糖が測定できるため、食後高血糖などの健康管理もできるデバイスとして期待されています（写真3－11）。

3－5　有人宇宙飛行中のトレーニング向け・自己駆動型ウェアラブル・デバイス

現在、スポーツ界では選手の運動や身体状態をリアルタイムで測定しながら、そのパフォーマンスを評価する技術が一般的になってきています。これにより、トレーニング効果のフィードバックや、オーバートレーニングの予防、効果的なリカバリーなどを可能とする技術が注目されているのです。このため、心拍や汗などのバイタルサインを、被験者を傷つける必要がなく（非侵襲）モニタリングするためのウェアラブル・センサが求められています。例えば、汗中の乳酸やイオン濃度の非侵襲モニタリングは、アスリートのコンディションの重要な指標となります。また、運動中の乳酸値やグルコース値の非侵襲リアルタイム・モニタリングは難しく、運動後に採血によって血中濃度を測定することが一般的です。この場合、採血によるアスリートへの精神的・肉体的負荷が大きいことや、測定から評価まで時間を要するといった問題があります。

　これらのセンシングのための電源として、乳酸は非常に有望視されている物質なのです。なぜなら、汗中の乳酸濃度は健常者の発汗中に豊富に（5.40×10^{-3} mol/L）含まれているからです。そこで前節で紹介した紙基板バイオ燃料電池を利用した、絆創膏型の自己駆動型乳酸測定デバイスの開発を行いました（図3－5）。

　この図は、バイオ燃料電池を印刷技術によって4直列4並列につなげた構造となっています。直列にすることで、例えば4直列であれば2・4

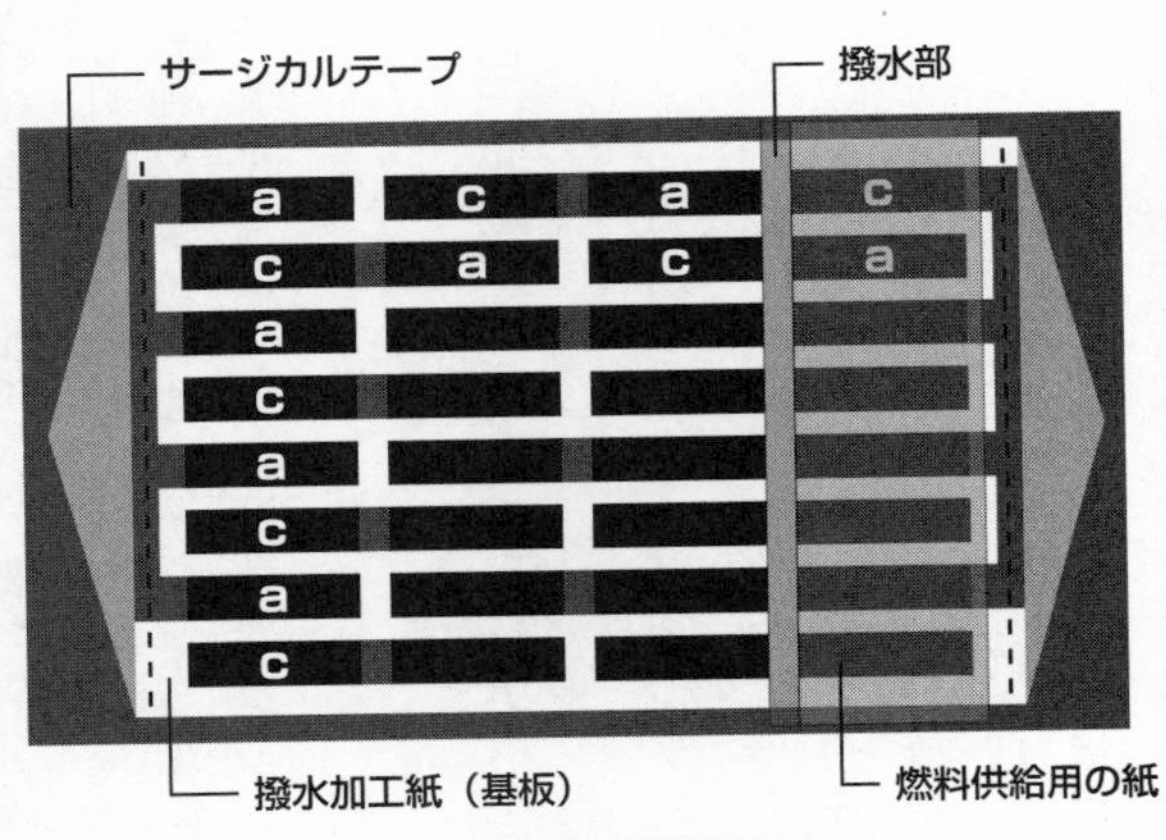

図3－5　自己駆動型乳酸センサ

V、6直列なら3・6Vといったように自在に電圧を変えることができます。また並列にすることで電流値も用途に応じて変えることができます。

乳酸バイオ燃料電池は、無線駆動だけではなく、市販の活動量計などのウェアラブル・デバイスを駆動させるのに十分な数ミリワット〜数十ミリワット程度の出力を有するものまで開発できているのです。また、体に貼って、人体の汗から発電し、汗中に含まれる乳酸値のリアルタイム・モニタリングにも成功しており（写真3－12）、これはトレーニング時の運動強度のモニタリングに役立つため、現在実証試験を進めているところです。また、印刷で布上に作製したフレキシブルなバイオセンサやイオンセンサを組み合わせることで、汗中のさまざまなバイタルサインを同時に取得する試みも進められていま

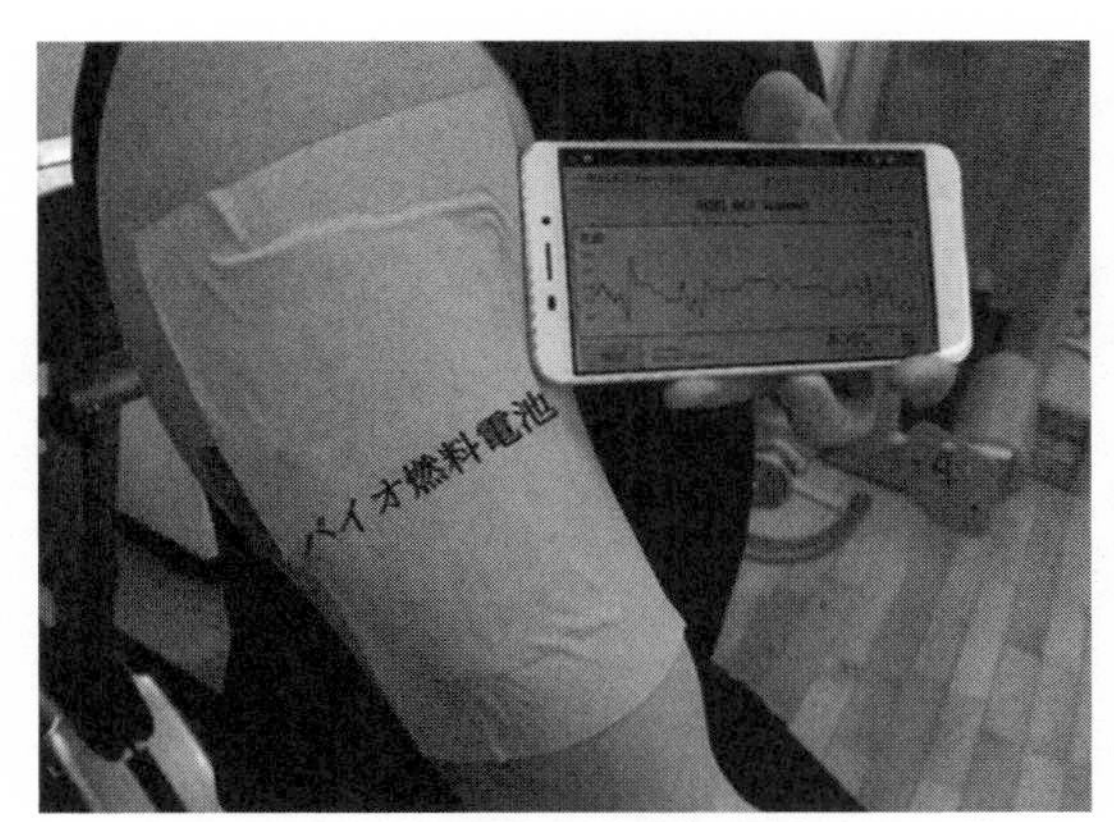

写真3－12　汗から発電して乳酸値を測定している様子

す。

これは、スポーツ中の熱中症予防のためのモニタリング・ツールとしても応用が期待されています。例えば、ナトリウムイオンや塩化物イオン、乳酸および心拍を同時にモニタリングすれば、水分補給の適切なタイミングを把握する管理ツールとなります。

すでに転写印刷を用いたナトリウムイオン・センサや、脱水症状と疲労度を検知する指標となる汗中のナトリウムイオン・センサとアンモニウムイオン・センサを組み合わせ、2つのイオンを同時測定可能なデュアルイオン・センサを開発しています（写真3－13）。

これらは、人体のモニタリング・システムとして、さらには宇宙空間という資源の限られた環境の中で、宇宙飛行士たちの健康状態を知るうえでも役立つものであり、注目されている技術です。

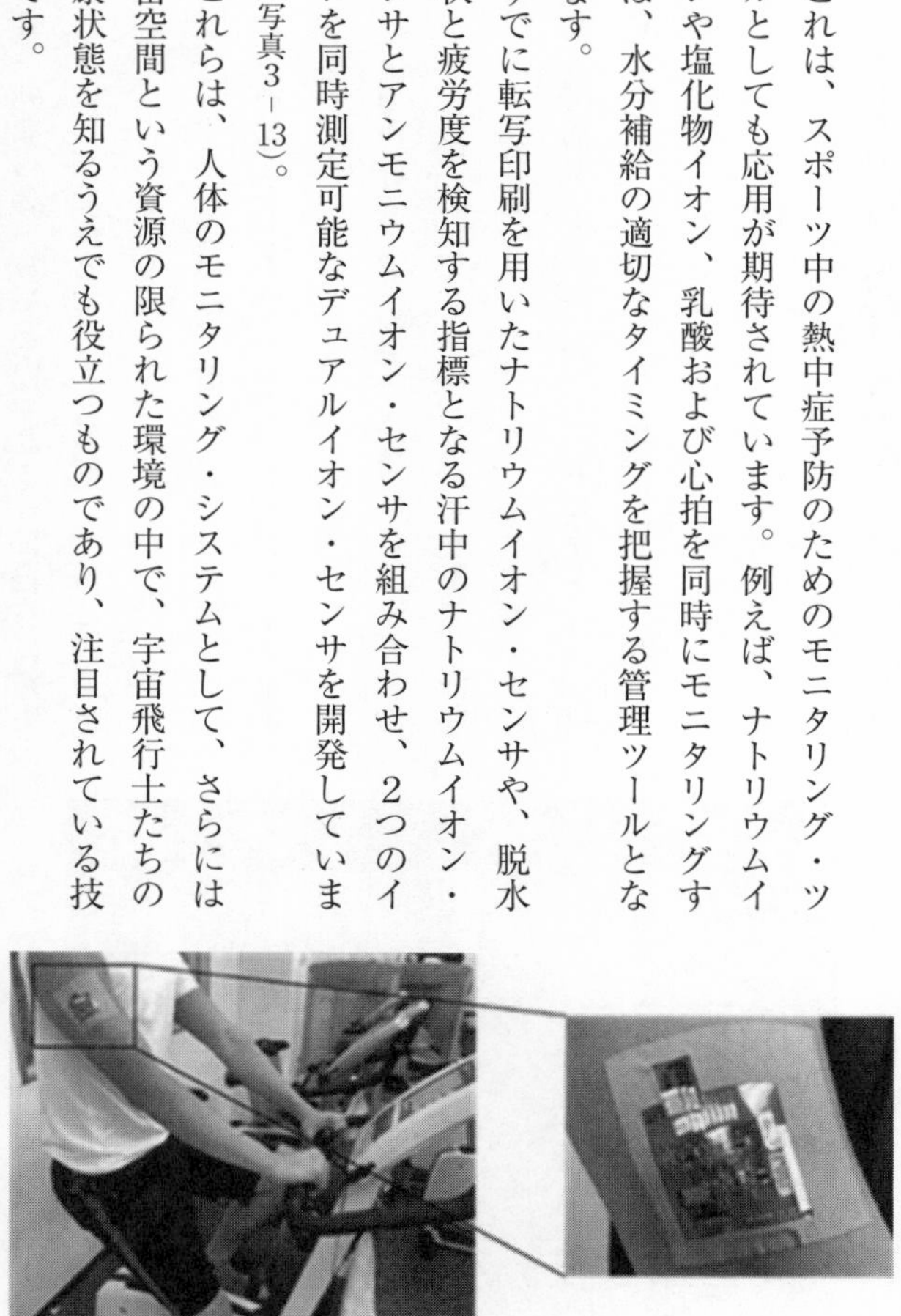

写真3－13 ウェアラブル・デュアルイオン・センサによる人汗中のイオン濃度のリアルタイム・モニタリング

今後は、これらのセンサおよびバイオ電池を組み合わせた統合型システムを構築し、地上ならびに宇宙空間を想定した局所空間での実証実験を行っていきます。開発したシステムは将来的に、着装感なく、有人宇宙飛行中に気軽に健康管理ができるツールになるはずです。

第4章

宇宙農業への挑戦
——スペースアグリ技術

4-1　宇宙で食料を得るには

2020年のコロナ禍では、日本国民のみならず多くの国の人々が外出の自粛要請を経験することとなりました。これにより皆さんは、閉鎖環境での生活というものを、より身近に感じることになったのではないでしょうか。

自粛期間中の食料事情を振り返ると、必要な食料はスーパーなどで調達できましたが、外食は控えた方が多かったのではないかと思います。また、宅配業者に自宅へ料理を届けてもらった方も多かったと思います。

ここでは、宇宙のような閉鎖環境での食料調達は、どのようにすればいいのかを考えてみましょう。

地球上でも小規模のコミュニティを考えたときには、食料の調達は各家庭で自給自足をするよりも、ある規模で集積した工場（植物工場など）で生産し、それを配達するシステムが理想となります。これは、宇宙居住においても同様だと考えられるでしょう。

それでは、宇宙という極限的な閉鎖環境で、持続的に食料を生産していくには、どのような技術が求められるのか、以下に整理してみました。

持続可能な食料生産技術

(1) 食料生産に必要なエネルギーを省力化する技術
(2) 限られた空間を有効利用するため、面積当たりの収穫量を増やす技術
(3) 閉鎖環境にある資源を有効に利用・再利用するなど。例えば、空気や水の資源化や再利用技術
(4) 自動化に対応した生産技術
(5) ウイルスやカビを蔓延させない技術

右の5つをもとに必要となる技術について、ひとつずつ見ていくことにしましょう。

まず、すでに実現されている例として、（1）と（2）を紹介します。

（1）の食料生産エネルギーの省力化については、光合成に使う光源をＬＥＤにするという方法があります。そのさいにＬＥＤ光源の波長を制御し、さらに植物の栽培環境のＣO_2濃度を高くすることで光合成を促進し、植物の収量を増やすことができます。この結果は、食料生産における省エネ化にもつながります。

（2）の面積当たりの収穫量では、ＬＥＤや環境制御だけではなく、垂直・多段式水耕栽培システムが考案されました（写真４－１）。これはもともと宇宙開発のための技術として作られたものですが、現在、地上の農業でも使用されています。このシステムにより収穫量の効率化をはかること

写真４－１　多段式LED水耕栽培システム
（玉川大学Future Sci Tech Lab）

ができます。このように宇宙での利用を目指して研究された成果の一部は、すでに私たちの生活にも還元されているのです。

（３）の閉鎖環境における資源の有効利用については、水や空気を中心にさまざまなおもしろい研究が行われていますので、これは６章にまとめて紹介します。

現在、日本だけでなく、さまざまな国で閉鎖環境での栽培の実証実験が行われています。「持続可能な食料生産技術」のうち、とくに（１）～（３）がこれまで積極的に検討されてきました。

今後は、さらなる技術の向上と、（４）の自動化や（５）の防疫といった技術への取り組みが急務となっています。それは宇宙進出のためだけでなく、地上においても喫緊(きっきん)の課題として強く求め

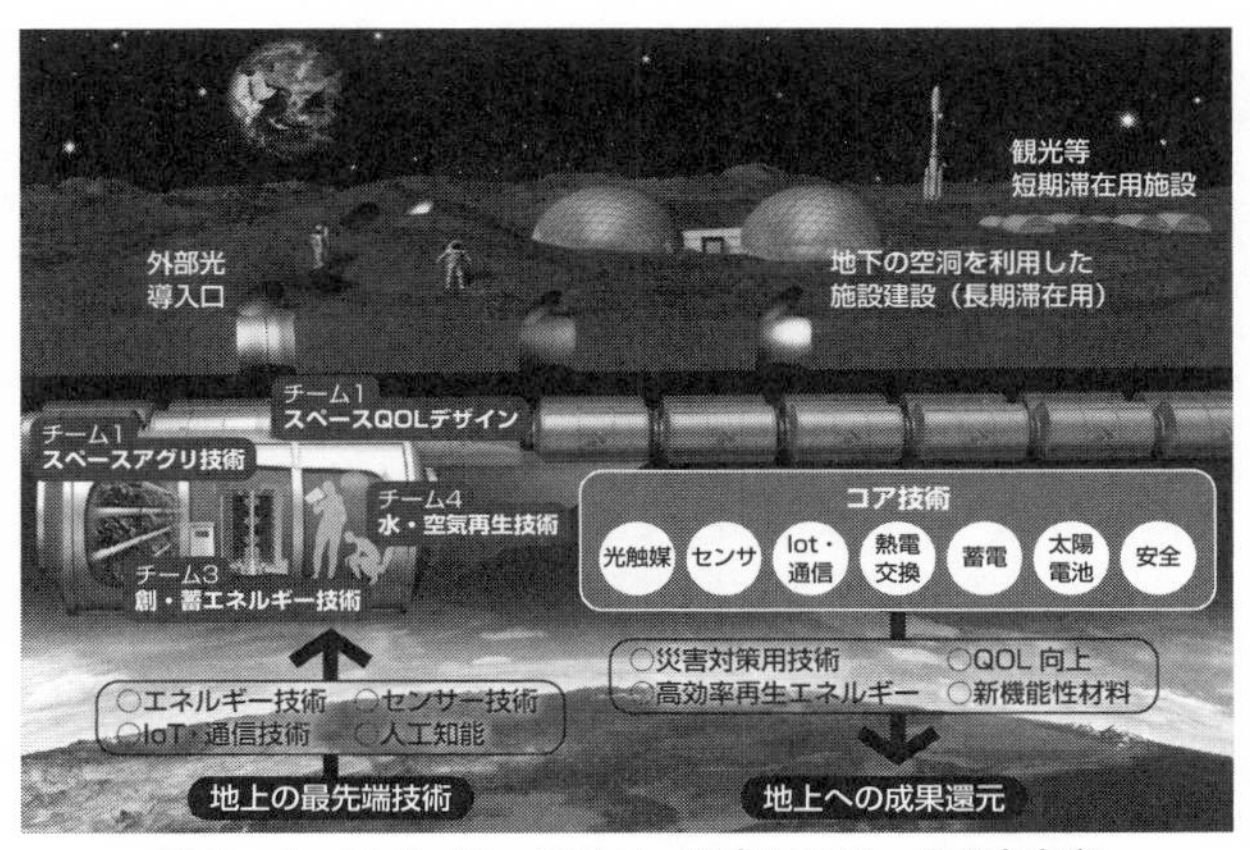

図４－１　スペース・コロニー研究センターの研究内容

られている技術です。

（4）の植物栽培の自動化技術は、昨今の農業人口の減少や従事者の高齢化だけではなく、2020年のコロナ禍のような外出自粛などにおいても、人の代替を担うことのできる重要な技術として注目されました。（5）の防疫についても、その重要性はコロナ禍によって自明のものとなりました。次世代農業に代表される水耕栽培式の植物工場では、ウイルスの混入やアオコの発生による作物への病害が問題となることがあります。宇宙での利活用が可能で、さらに地上においても有用な技術の高度化を目指して、食料生産技術の研究開発がさまざまな取り組みのもとに行われています（図4－1）。

4－2 宇宙農場を目指した各国の開発動向

次の節では、各国の取り組みを紹介しながら、その現状を見ていくことにしましょう。

4－2－1 ロシア

ロシアは、ソビエト連邦時代に世界初の人工衛星および有人宇宙飛行を達成し、20世紀において重要な技術的偉業を多数生み出しました。さらに、第2章で紹介したように閉鎖環境でのさまざまな実験を行っています。その実験の中には、将来の宇宙農場を目指し、地上実験として植物栽培研究も行っています。

まず、1960年代半ばからBIOS*プロジェクトという計画を開始しました。これは、宇宙飛行士が必要とする食料や空気、水の需給を閉鎖空間内だけで完結するシステムの開発を目指したプロジェクトの名称です。

1970年代に行われた2ヵ月間にわたる実験では、2つのBIOS－3（写真4－2）という植物栽培モジュールを使い、栽培面積41㎡から乾燥重量117kg、食用として37・4kgの小麦、大豆、レタス、ニンジン、ジャガイモ、タマネギなどが生産できることを証明しました。

一方では、1971年、有人宇宙ステーショ

写真4－2　シベリアのクラスノヤルスクに設置されたBIOS-3
閉鎖環境での生命維持を目的とした植物栽培研究。
（*Open Agriculture*, 2, 14－32, 2017.）

ンのサリュートに搭載された「Oasis植物栽培装置」によって栽培実験が行われています。この実験はその後も継続され、1974年に打ち上げられたサリュート4号では、改良版栽培装置となる「Oasis1M」(写真4-3)によって、エンドウマメやタマネギの栽培実験が行われました。このとき、エンドウマメの育成には失敗しましたが、タマネギは高さ20㎝ほどまで成長したそうです。

その後、1980年代に入ると、栽培装置の照明がモジュール化され、さらに水供給システムも改良された「Oasis1A」(写真4-3)が開発され、サリュート7号に搭載されています。

また、地上での実験も1989年に行われた

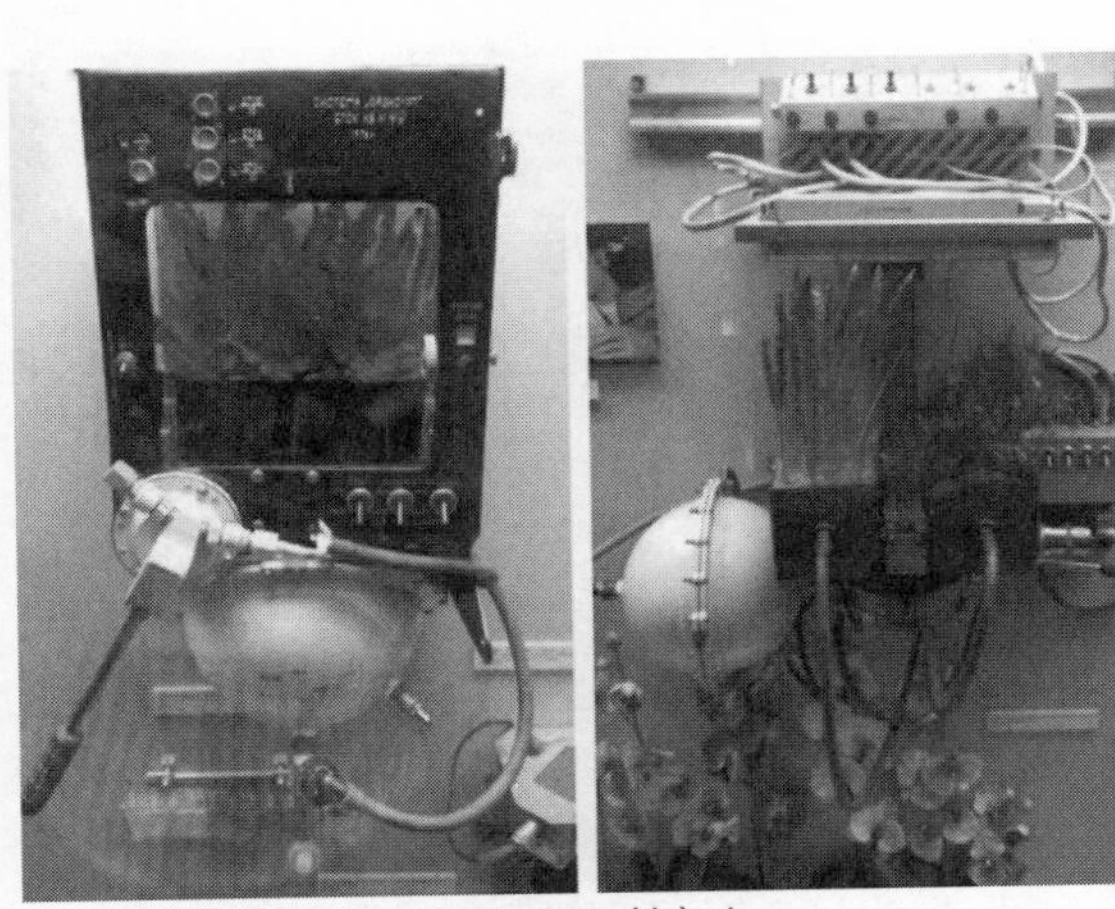

写真4-3 Oasis 1M(左)とOasis 1A(右)の外観写真(NASA)

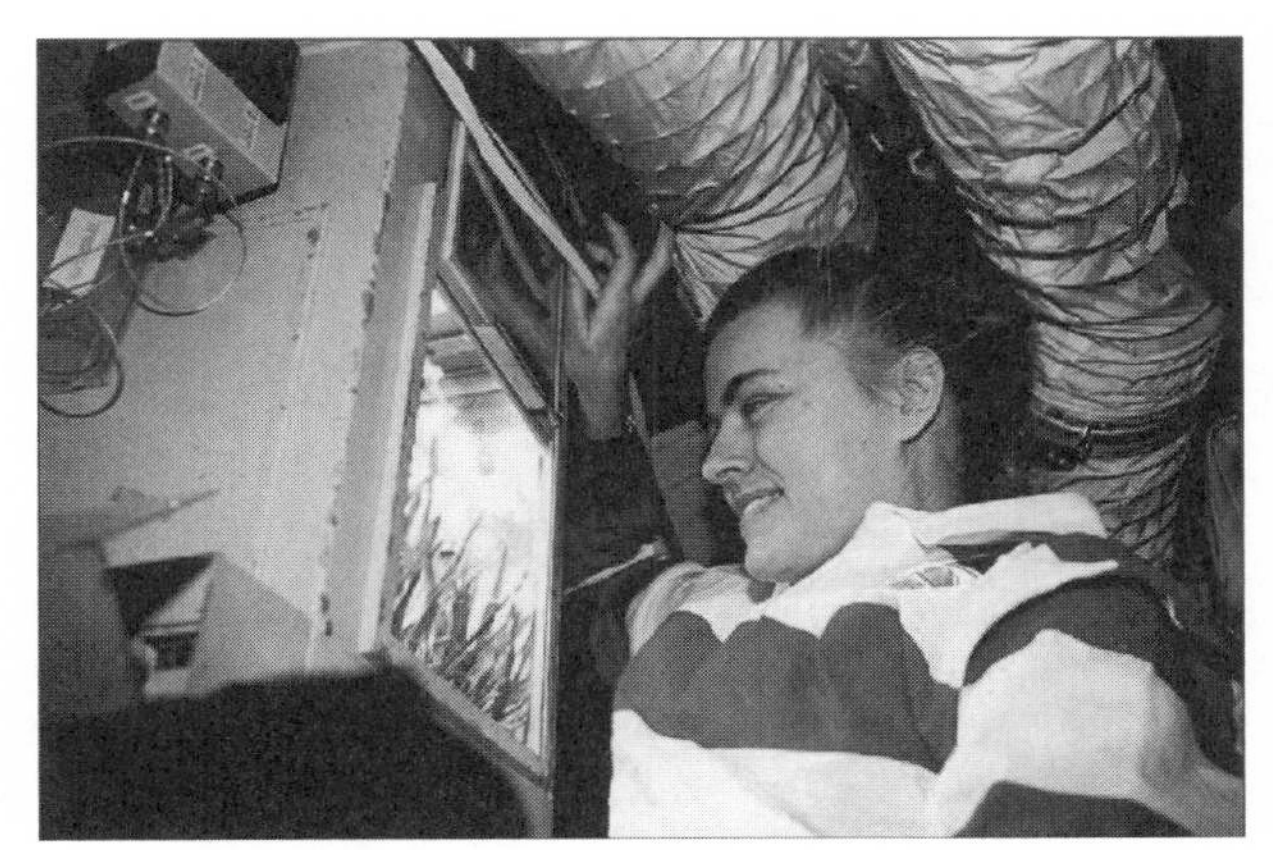

写真4－4　ミール宇宙ステーション内の
SVET植物栽培装置（NASA）

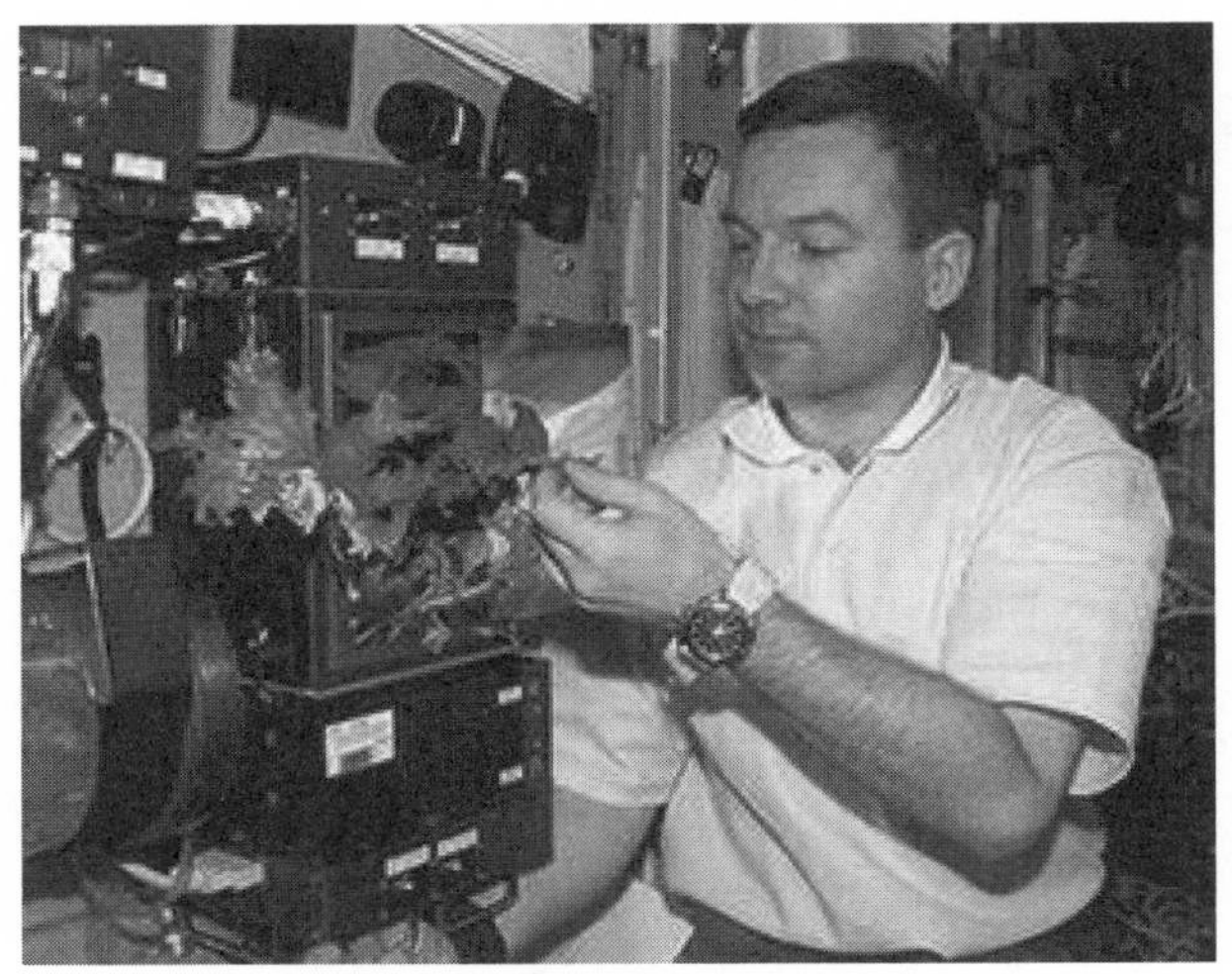

写真4－5　ISS内ロシアモジュールでの
Ladaによる植物育成実験（NASA）

ＢＩＯＳ－３では、天井から吊り下げられた６キロワットの水冷キセノンランプを用いて植物の光合成産物の研究などが行われています。

１９８６年に打ち上げられたミール宇宙ステーションでは、１９９５年からＳＶＥＴとよばれる植物栽培装置（写真４－４）によって小麦の栽培が行われ、継続して宇宙用の栽培装置の開発が研究されています。ＳＶＥＴでは、当初、光源やファンの故障による栽培装置内の温度上昇などのトラブルがありましたが、１９９７年頃までには、これらの問題は解決されました。

しかし、この実験の中で、小麦が生育するに従いエチレンガスが放出され、それが腐敗の原因となることがわかりました。そこで栽培装置に、エチレン除去フィルターが必要であることが示唆されました。

２０００年代に入ると、ＳＶＥＴ植物栽培装置を改良したＬａｄａが開発され、２００２年、ＩＳＳのロシアモジュール内に設置されました。このＬａｄａでは、制御部や光源部、根および葉の育成部がそれぞれモジュール化され、水タンクも備えられています。ミズナなどが育てられ、数世代にわたる宇宙で育った植物の形態学的および遺伝的パラメータの調査で活躍しました。

4-2-2 米国

NASAが、本格的に閉鎖生態系生命維持システム（Controlled Ecological Life Support System：CELSS）の研究に取り組みはじめたのは1980年代になってからです。

まず、地上実験では、ソ連におけるBIOS-3のような大きなスケールではなく1～4m^2ほどの栽培施設で行われました。これは、NASAケネディ宇宙センターのBPC（Biomass Production Chamber）で行われ、2000年頃までには20m^2まで拡張されています（写真4-6）。

NASAの実験では、高さ7・5mのチャンバー内に4段の棚が設置されています。これは現代の植物工場で行われている、垂直農業のさ

写真4-6　NASAケネディ宇宙センターの閉鎖生態系試験設備
（*Open Agriculture*, 2, 14-32, 2017.）

きがけになるものだといえるでしょう。この実験は、小麦やジャガイモ、大豆、レタス、トマト、イネ、ラディッシュなどの栽培をとおして、閉鎖環境でのCO_2濃度や光、エチレンガスの発生、さらにはCO_2濃度の制御などの貴重な情報をもたらしました。

もうひとつ米国における研究の特色として、民間の参入が活発であることが挙げられます。そのためプライベート・スポンサーによる大規模実験施設が存在します。そのひとつアリゾナ州オラクルに建設されたバイオスフィア2は、およそ2000m^2のエリアに、2720m^3の土壌を持ち込み、8名の科学者が2年間生活するための食料の80%を賄う(まかなう)ことが計画されました。

ここでは、まずはじめに1991年から2年間、次に1994年から半年間の、2回の実験が行われています。この施設は、完全閉鎖環境を目指した実験でしたが、実験中に酸素不足や食料不足に見舞われ、残念ながら完全閉鎖環境を維持できず実験が継続不能となりました。

これは、土壌中の微生物の働きが影響したために酸素不足になったり、日照不足から十分な光合成がなされず植物からの酸素供給が足りなくなったりしたため、事前に想定されたものとは異なる結果となりました。またこのときは、滞在者のあいだや運用スタッフとのあいだでの交流において、情緒不安定や対立が生じるなどのトラブルもあり、これらは心理学的側面での

写真４－７　Veggieの外観写真（地上で撮影）
（*Life Sciences in Space Research*, 10, 1-16, 2016.）

写真４－８　ISSで栽培されたレタスを試食するクルー
左から油井亀美也飛行士、チェル・リングリン飛行士、スコット・ケリー飛行士（*Life Sciences in Space Research*, 10, 1-16, 2016.）

課題も指摘されました。

NASAでは、地上実験以外に、ISSを利用した微小重力環境での栽培実験も精力的に進められてきました。その最新の成果として挙げられるものがVeggie（写真4-7）です。

2014年に発表されたVeggieは、これまでのような植物栽培実験というよりも、食料生産のために開発された装置といえるものです。その光源部には赤、青、緑のLEDライトが設置され、送風部と養液供給システムが取り付けられた培地部から構成されています。また、植物の生育に伴い、高さが5㎝から45㎝まで変えられるように工夫されており、栽培面積は0・17m^2という大きさで、食料の供給設備としては小規模な実験施設だといえます。そこで栽培された植物は、食品に対して定められた安全基準を満たしており、2015年8月、NASAの宇宙飛行士は宇宙で栽培された野菜を口にした初の人類となる歴史的快挙を成し遂げています（写真4-8）。

4-2-3 欧州

欧州では欧州宇宙機関（ESA）が中心となって、1987年よりMELiSSA（Micro-Ecological Life Support System Alternative）という生物学的環境維持研究プロジェクトに取

写真４－９　南極に設置されたEDEN-ISS（上）と内部の様子（下）
（https://www.dlr.de/irs/en/desktopdefault.aspx/tabid-11408/#gallery/35721）

り組んでいます。

　実験初期の頃は微生物による廃棄物処理やシアノバクテリアによるバイオマス生産に関する研究が主でした。これを発展させ、現在では微生物やシアノバクテリアを利用した物質循環による植物栽培の研究に移行しています。また、ＭＥＬｉＳＳＡプロジェクトでは、特殊環境下での作物へのストレスをモニターするためのリモートセンシングにも力を入れ、閉鎖環境や水耕栽培での栽培状態のデータ取得を行っています。

　近年では、ブレーメンにあるドイツ宇宙機関（ＤＬＲ）が中心となり、欧州連合（ＥＵ）の大学や産業界によるコンソーシアム（共同事業体）と連携し、ＥＤＥＮ-ＩＳＳプロジェクトを実施しました。これは宇宙利用を視野に入れ、極地での生鮮野菜の供給を目的として、南極で運用している栽培実験です（写真４-９）。

写真４－10　(a) 月宮１号の外観写真　(b) モデル図と内観イメージ
(c) プラントキャビン内の３名のクルー
(d) コンプリヘンシブキャビンでの食事風景
（*Astrobiology*, 17 (1), 78-86, 2017.）

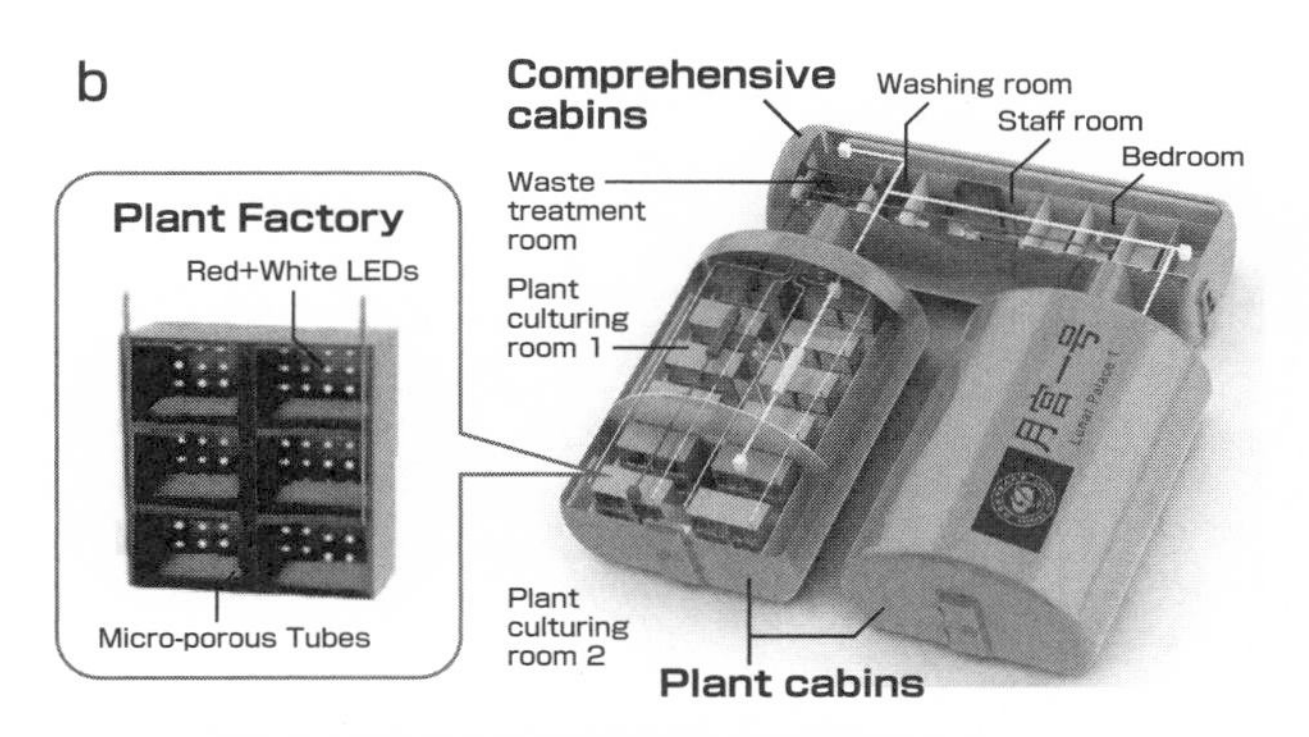
b
Comprehensive cabins
Washing room
Staff room
Bedroom
Waste treatment room
Plant culturing room 1
Plant culturing room 2
Plant cabins
Plant Factory
Red+White LEDs
Micro-porous Tubes
月宫一号
Lunar Palace 1

c

d

4-2-4 中国

近年の中国の台頭には目を見張るものがあります。この閉鎖空間での食料生産研究という点においても、北京航空航天大学に設置された月宮1号にてさまざまな実験が行われています（写真4-10）。この実験では、植物育成や動物の飼育に加え、そこからの排泄物を微生物による廃棄物処理によって植物の肥料とするなど、複雑な閉鎖居住実験を行っています。

4-2-5 日本

日本では、1980年代後半から閉鎖生態系生命維持システム（CELSS）の研究が精力的に行われています。第1章でもふれたように、青森県六ヶ所村の環境科学技術研究所内に閉鎖型生態系実験施設が建設されています（写真4-11）。

これは、日本版バイオスフィア2ということができるものです

写真4-11 (a) 環境科学技術研究所（青森県六ヶ所村）にある閉鎖生態系実験施設、(b) 植物栽培系の物質循環システム、(c) 廃棄物処理装置、(d) 湿式酸化装置

b

c

d

が、米国のバイオスフィア2が、自然の再生能力によって物質循環を行うという取り組みであるのに対し、物理化学装置を使って物質循環を制御している点が特徴として挙げられます。例えば、高温高圧条件下で物質を分解する湿式酸化装置や、水素と二酸化炭素を高温高圧状態に置き、ニッケルを触媒としてメタンと水を生成するサバチエ反応によって、水素を媒介にしてCO_2から、炭素と酸素を取り出す再生装置が組み込まれています。これによって、よりコンパクトな空間で浄化処理ができることから、月面などの限られた閉鎖空間でも優位に機能できるものと考えられています。

4-3 宇宙レタスが食べられる日

第1章で「スペースアグリ：宇宙農場」というものを簡単に紹介しました。ここでは、その宇宙農場の可能性について、スペース・コロニー研究センター内に設置しているスペースアグリ技術チームとJAXAが共同で実施している研究について具体的に紹介したいと思います。

現在、月や火星への探査計画に関する熾烈な挑戦が世界各国で始まっています。そうしたなか、JAXAでは「宇宙探査イノベーションハブ」とよばれる研究組織を立ち上げ、2019

年5月、月面での植物栽培を想定した「月面農場」の実現に向けたコンセプトを公開しました。

この「月面農場」では、大量かつ高速に成長する品種や栽培方法の選定、また、病害虫の混入を防ぎ、緊急時における食料バックアップの必要性も考慮したうえで、「袋培養技術」（写真4－12）とよばれる栽培方法に注目しています。

袋培養技術は、数リットル程度の容量の袋内で、液体培地により大量に植物組織培養を行う植物栽培手法です。培養袋に培養液と植物を収容して袋上部の開口部を密閉し、温度、湿度、照明を葉や茎の増殖に適した状態に維持することができます。実は、これはキ

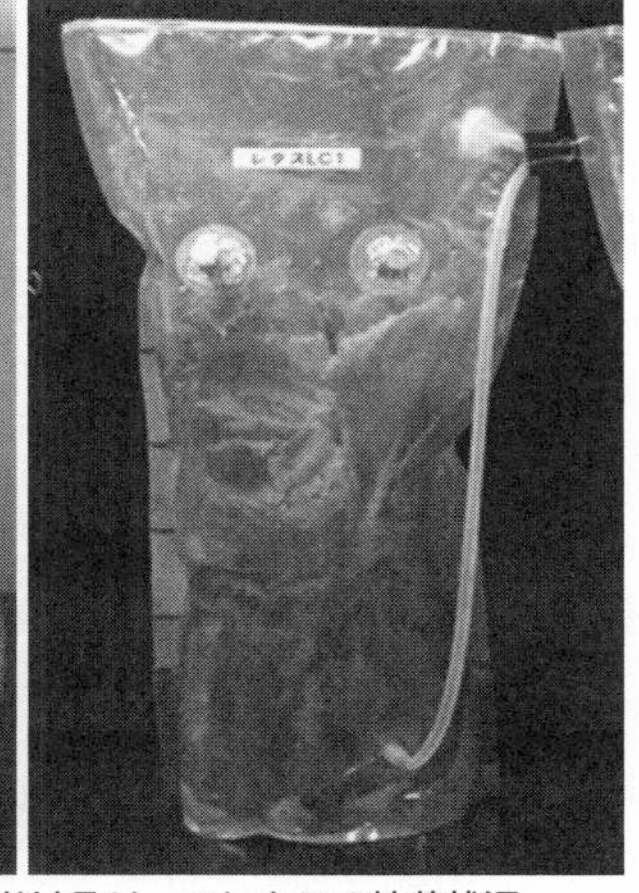

写真4－12　袋型培養槽におけるリーフレタスの培養状況
（左：初期　右：2週間後）

リンホールディングス株式会社が独自に開発した技術なのです。この技術を用いることで、まず小ロットでの作物の栽培が可能になります。これは保存の難しい生鮮食品を効率よく、無駄なく栽培できる手法だといえます。また、植物は袋の中で栽培されるため、病害虫などの侵入を防ぎながら苗供給をすることもできます。さらには、緊急時の食料バックアップとして活用することも可能です。

一方、宇宙に輸送する物資と運用エネルギーの削減を考慮して、栽培空間は、低圧環境となるような建設物に植物プラントを構築することが理想的です。そこで実証実験では、まず、人体に必要なビタミンC源としてレタスをモデル植物に選び、この低圧環境栽培で確認を行いました。

供試品種にはリーフタイプの「グリーンウエーブ」というレタスを用い、培養法は大量培養に適した液体培養法で行っています。また、培養容器にはキリンホールディングス社オリジナルの「袋型培養槽」を用いています。

まず、最初の実験では、内容積が8リットルの培養槽に対し、置床苗を3苗から4苗入れ、常温常圧にて照度3000ルクスほどの条件下で栽培しました。また、空気の通気量は約50ml/分に設定しています。写真4－12は、袋型培養槽における、栽培開始から40日間経過時のリーフレタスの生育状況です。可食部である葉は短期間で袋内全体に充満し、極めて旺盛な増殖傾向を示していることがわかります。

この実験は、複数回行われ、それぞれの実験において高い再現性も認められました。さらに、この方法であれば、備蓄食料が何らかの原因で腐敗したりして不足した際などに、緊急時バックアップも想定したレタス可食部の効率的な栽培が可能であることもわかりました。

先にも指摘したように、宇宙空間での栽培を実証するためには、低圧下でも栽培できることが重要になります。そこで温度、光照度、空気通気量を先ほどと同じ条件にし、低圧栽培試験チャンバー内で、この袋型培養槽による栽培を行いました。ここでは、０・４気圧という低圧環境での栽培を行いましたが、先ほどの常圧環境と同等の生育が見られました。また、私たちにとってもうひとつ重要な点は味ですが、一般的な水耕栽培レタスとの差異は感じられなかったようです。

袋型培養槽では、少ない量からの栽培が可能であり、仮に袋内がウイルス等によって汚染されたとしても、被害を最小限に留(とど)めることができます。

では、レタス以外の植物体の栽培は可能でしょうか？　例えば炭水化物源として重要なジャガイモを想定した場合はどうでしょうか？　実は、これについても実験が行われています。

ジャガイモの実験では、マイクロチューバー[*]と呼ばれる種イモは、袋培養技術で、高速かつ大量に培養できることがわかりました。

＊茎頂（点）培養などで得られた無病植物体から培養容器内で生産された塊茎。

4-4 「水中プラズマ」技術で防藻・防カビへ

前節でジャガイモの例を紹介しましたが、このような水耕栽培式植物工場において問題になることが、植物のウイルス病やカビ病が蔓延することです。さらに、月面農業のように閉鎖された限定環境では、水と空気はとても貴重なものです。持続的な食料生産を可能とするためだけでなく、人間の生命維持のためなど他の用途にも使用できるようにするためには、水、空気が資源循環型のシステムによって再利用されることが必要になります。また、その循環システムは自動化されていることが理想です。

そこで、スペース・コロニー研究センターでは、空気と水から液体肥料を合成する技術を開発し、この肥料を用いて植物育成を行うとアオコなどが発生しないことを発見しました（図4

－２）。ここで、空気中の窒素を有用な窒素化合物に変換する、いわゆる窒素固定化技術である一方、防藻・防カビ効果もある、水中プラズマ技術を活用した液体肥料の製造について紹介します。

まず、水中プラズマとは、水中に発生した気泡の中にエネルギー状態の高いプラズマ相を形成し、水中でプラズマを発生させる手法です。さらにこの技術を改良し、中空にした電極内に空気を導入して水中プラズマを発生させました。このようにして発生させたプラズマは、蛍光灯などにも使用されている低圧下でのグロー放電で、電子温度がイオン温度に比べ高い状態にある熱的非平衡状態となり、低温プラズマを形成します。たとえば、溶接に使われているアーク放電は、イオン温度も高く、そのため数千度と高温になってしまいます。

水中プラズマによって処理した後の溶液の成分について

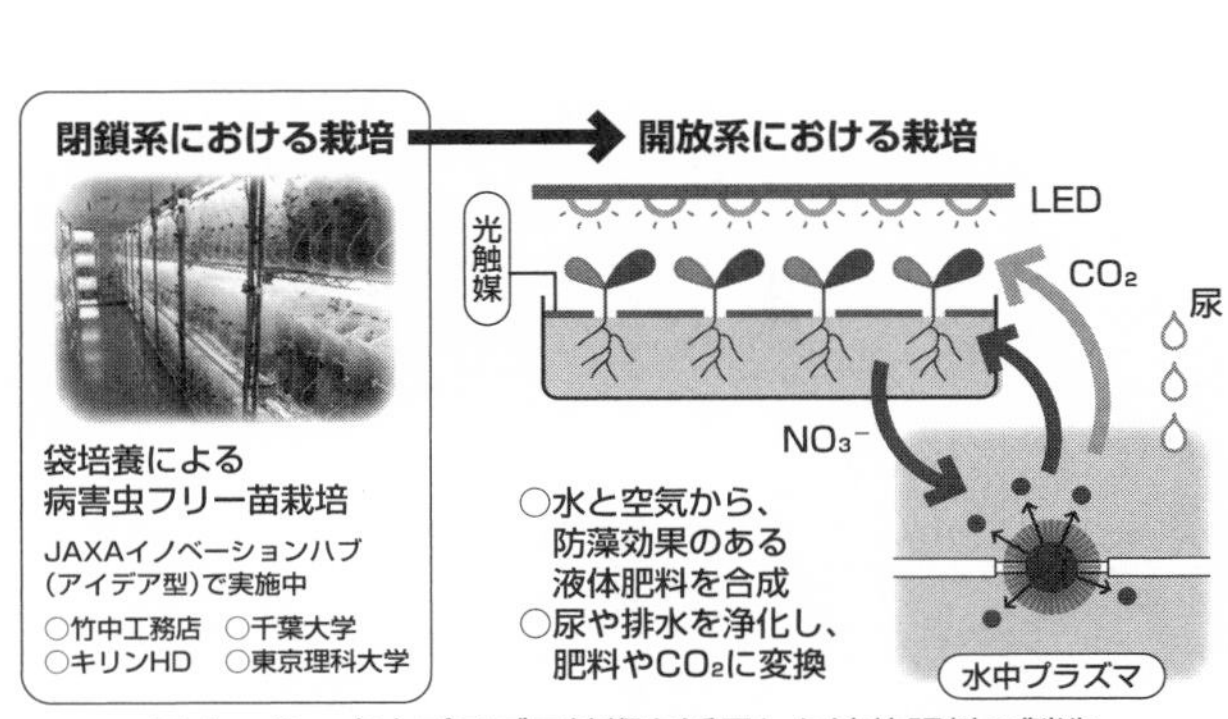

図４－２　水中プラズマ技術を活用した液体肥料の製造

は、イオンクロマトグラフィー及び紫外可視分光光度計を用いた定量分析、またpH測定を行っています。その結果、溶液中の亜硝酸イオン、硝酸イオン、アンモニウムイオンの濃度が上昇することがわかりました。また、過酸化水素は処理時間の増加に伴い濃度が上昇することもたしかめられました。しかし、亜硝酸イオンと過酸化水素は60分で最大濃度となり、それを境に減少していきます。また硝酸イオンでは60分を境に急激に濃度が上昇することもわかりました。このように処理時間によって、それぞれの物質のイオン濃度に差が出ることが課題だといえます。

次に、処理時間ごとのpHを測定すると、当初はpHが10・8であったものが、30分処理後には7・1に、さらに60分後には4・3、90分では3・5、120分後には3・2まで減少していました。これは、処理時間の増加による硝酸イオンの濃度の上昇が要因だと考えられています。

以上の結果より、プラズマ処理によって、まず多量の過酸化水素と亜硝酸イオンが生成し、さらに続けると中間体である亜硝酸イオンが過酸化水素で酸化されて硝酸イオンが多量に生成されるという反応が起こることがわかります。また、アンモニウムイオンも生成されたことから、酸化反応のみではなく還元反応も同時に進行、アンモニウムイオンが増加していることから、これは分解されずに残留し続けることが考えられました。

酸性条件下では、過酸化水素が酸化剤として強く働くことが知られています。処理時間の増加に伴いpHが減少することで過酸化水素が酸化剤として働き、60分を超えたところで過酸化水素の酸化力が向上し、このような傾向になったと考えています。

さらに、処理したプラズマ活性水を用いた防藻実験を行いました。サンプルとして国立環境研究所より入手したクロレラ属の淡水性単細胞緑藻類である「*Chlorella vulgaris*」（NIES-2170）を用いました。

この結果、酸性条件下において、過酸化水素や亜硝酸イオン、硝酸イオンが共存している状態で、防藻効果が発現したことがわかりました。同様にして防カビ実験も行いました。ここでは一般的なシロカビである*A.oryzae*を用いました。培養したものを0時間、24時間、48時間と時間差をとり、ＰＤＡ寒天培地に移して暗所で培養し、２日後にコロニーカウントを行う方法をとっています。サンプルにはControl（未処理K_3PO_4溶液）、プラズマ活性水（約pH３）、プラズマ活性水をpH６に調整したものを用いています。これは植物育成に適したpHにするためです。結果は図４－３に示すように、酸性のプラズマ活性水だけではなく、pH６のプラズマ活性水においても、曝露時間が増加することによって、カビが死滅することがわかりました。

このことから、プラズマ活性水には防藻効果だけではなく、防カビ効果もあることが明らかとなりました。また、これは空気中の窒素を有用な窒素化合物に変換する、いわゆる窒素固定化技術でもあり、空気、水という有限な資源を有効に活用する循環システムにもなっています。

さらに、プラズマ活性水には以下の特徴があることも他の実験によりわかっているので、ここにまとめます。

（1）防藻・防カビ効果を発現しつつ植物育成にも有効に作用する。120分処理したプラズマ活性水をpH調整剤（OATアグリオ社）を用いてpH6になるように調整したり、水耕栽培用栄養溶液として知られるホーグランド養液と適切な量で混合することで、防藻・防カビ効果を保ちつつ液体肥料と

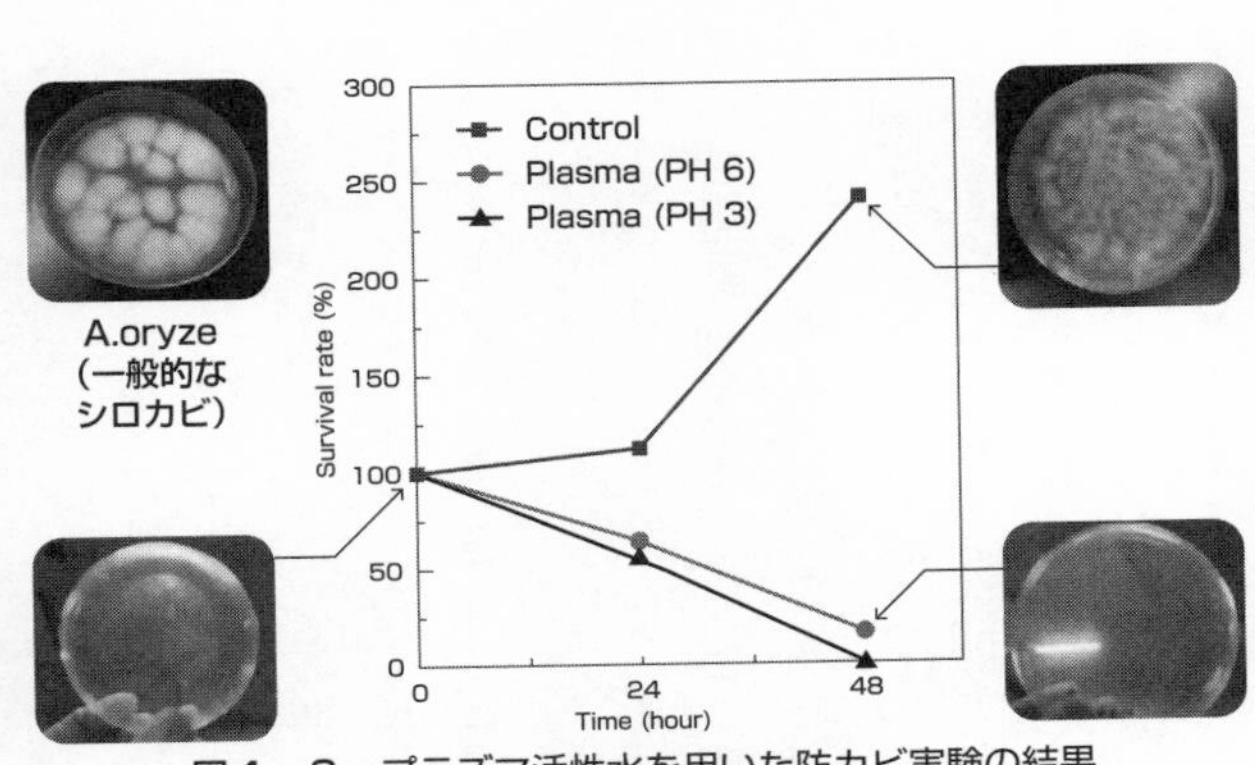

図4－3　プラズマ活性水を用いた防カビ実験の結果

して使うことができる。

（２）プラズマ活性水は比較的長く保存できる。１２０分処理した溶液を１週間放置したサンプルで防藻実験を行ったところ、処理直後と同様の防藻効果があることがわかった。このことから防藻効果の発現に主に起因する成分は、１週間程度の寿命があるといえる。

（３）藻の濃度に適した量のプラズマ活性水があれば防藻効果が発現する。高濃度の藻を用いた実験においても、１２０分処理したプラズマ活性水の添加量を増やすことで、防藻効果が確認できた。

いま、解明に向けてもっとも取り組んでいることが、防藻・防カビ効果の発現メカニズムそのものです。植物を育成することと、滅菌するということは、二律背反する反応機序でもあります。例えば水中プラズマ技術において、空気の代わりにアルゴンを導入した系では、滅菌効果がありませんでした。一方で、プラズマ活性水の成分を人工的に合成した溶液では、防藻効果があることが確認されています。

今後はいっそう生物化学的な根拠に基づき、これらの解明を進めていく必要があります。そして、写真４－13のように、この技術を装置として実際の植物工場へ適用する実証実験もすでに開始しています。

4－5　月面農場はこうなる⁉

先に紹介した袋培養技術と水中プラズマ技術は、宇宙における特殊な閉鎖空間で食料生産を行うさいに、以下のような優位性があります。

まず、袋培養を用いることによって少量での密閉袋内での栽培が行えるため、栽培時の給気もフィルターを介して行うことができます。これにより栽培系での雑菌の繁殖のリスクが極めて少ないことが利点として挙げられます。また、万一、袋内で雑菌の繁殖などがあっても、その袋のみを処分することで、他

写真4－13　閉鎖環境を模擬した植物工場に水中プラズマ装置を設置
（東京理科大学野田キャンパス）

の栽培系統に影響を与えないという利点もあります。

さらに袋は完全密閉であることから、臭気やカビ等の発生の要因となることがなく、関連設備への影響がないこともメリットだといえるでしょう。

また栽培の簡単さも挙げられます。袋を用いることで初期の給液以降は、収穫までのメンテナンスが容易になります。宇宙という限定された空間でも、設備が簡素であり、輸送物資を最小限にできるのです。さらに、さきほど紹介したように、低圧状態での培養・栽培が可能なことも、栽培施設の構造体の簡素化と輸送物資の大幅な削減に寄与すると考えられます。

次に、プラズマ活性水による滅菌技術は、他の滅菌技術に比べて植物体への影響が少ないことが想定でき、栽培途上での滅菌処理技術としても優位性があります。また、空気や水などの資源を有効に利用でき、自動化に対応する技術でもあります。

最後に、月面におけるシステム構築イメージを図４－４に紹介します。

この想像図では、常圧区の居住エリアと低圧区の栽培エリアを、作業エリアで隔てることによって設置しています。この方法であれば、低圧区は簡易的な構造物で建設できるうえに、自動化に対応した病虫害フリーな植物工場が構築できます。

月面農場を想定した場合、移住初期の食料供給および定住時の大規模かつ安定的な作物の生産のための病虫害防止と緊急時食料バックアップへの対応が求められています。そのための近未来技術の一翼として、袋培養技術や水中プラズマ技術が地上での実証実験を経て、宇宙空間でも試され実用化される日が待ち遠しいです。

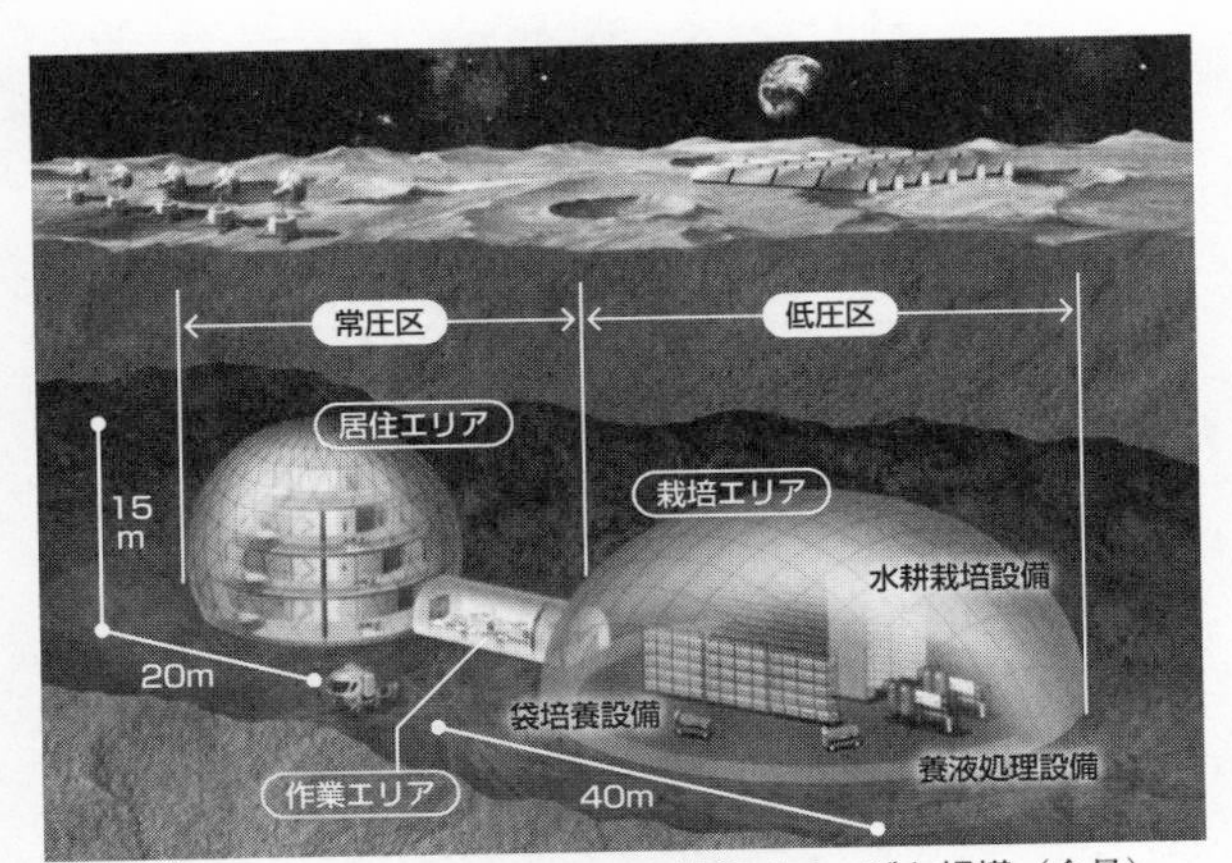

図4－4　月面におけるシステム構築イメージと規模（全景）
（〈株〉竹中工務店）

第5章

スペース・コロニーの電力源

──創・蓄エネルギー技術

スペース・コロニーを長期間運用するために、欠かせないものがそのエネルギーです。コロニーの運用のために必要な、水や空気の浄化、通信や安全管理など、それらのほとんどは電気を使用します。この電力が僅かでも不足することは、居住者の生命の危機に直結します。スペース・コロニーでは、地球での生活以上に、電気の安定供給が求められます。

では、なにからそのエネルギーを取り出すのがいちばんいい方法でしょうか？

現在、日本の発電では、多くが石油・ガスなどの化石燃料を燃やして電気を作ります。しかし、宇宙にこれらの化石燃料を運搬するためには、膨大なコストがかかり、それらを燃焼させるためには酸素も必要となります。そのため、この発電システムは、宇宙での利用は難しいものです。では、原子力発電はどうでしょうか？　原子力の発電効率は良いのですが、打ち上げ失敗時のリスクや、スペース・コロニーという閉鎖空間におけるメンテナンスの手間や事故を考えると、これも現実的ではありません。

さらに、安定して電気を供給するには、蓄電装置も必要になります。電気エネルギーを蓄えるにはバッテリーを用いることが多いのですが、バッテリーの寿命は数年と短いため、頻繁に交換する必要があります。また、大きな電力を蓄えることができないという問題もあります。

この章では、このようなエネルギーの問題とそのための技術開発について紹介していきます。

宇宙では新たな創・蓄エネルギーシステムの構築が重要となります。本章では、図5－1に示すモデルのような、将来のスペース・コロニーで使用する大量で安価な電気エネルギーの作り方として、(1)太陽電池と(2)熱電変換素子、および蓄え方として(3)フライホイールについて紹介します。

図5－1　宇宙での創・蓄エネルギー技術
太陽光パネル(右下)、熱電変換デバイス(右上)、蓄電フライホイール(左)

5－1　宇宙用太陽電池

先に述べたように、スペース・コロニーでは、コストを考慮しながら大量の電気エネルギーを、その場で作り蓄え使う「地産地消」を実現しなければなりません。

そこで、真っ先に思い浮かべるものが太陽電池ではないでしょうか。実際に、人工衛星では太陽光発電が使われています。太陽光が届かない領域の探査は別として、一般的には太陽光パネルを大きく広げ、電源を確保しています。

このように宇宙空間において、地球から持参しなくても利用できる、ほぼ唯一のエネルギーが、太陽から注がれる光・熱です。スペース・コロニーを実現させるには、この太陽からのエネルギーを余すこと無く活用することが重要になります。熱エネルギーの変換技術については次節で紹介しますが、まず本節では太陽光発電について解説していきます。

太陽電池のアイデアは古くからあり、現在でも主流である「ｐｎ接合型」といわれる太陽電池は、１９５４年、米国のベル研究所で開発されました。

太陽電池は有機物・無機物などさまざまな原料から作られますが、広く普及しているｐｎ接合型太陽電池には、コンピュータなどにも用いられている無機物の半導体が使われています。半導体材料に少量の不純物質を人為的に添加することで、「電子が多い半導体材料（n型）」と「電子が少ない（正孔が多い、ともいいます）半導体材料（p型）」の領域を連続的に作ることで、「pn接合」が得られます。このpn接合に光を照射すると、低いエネルギー状態（価電子帯）にあった電子が、光エネルギーを吸収して高いエネルギー状態（伝導帯）に移動し、pn接合で発生している電場の影響でp型半導体からn型半導体へと電子が移動します。このとき電流が発生するというのがpn接合型の太陽電池の原理です（図5－2）。このとき、バンドギャップと呼ばれる価電子帯と伝導帯のエネルギー差が大きいほど、得られる電圧が大きくなり、逆に、電流は小さくなってしまうのが一般的です。そこで使用目的に応じて、半導体材料を選択し、バンドギャップを調整する必要があります。

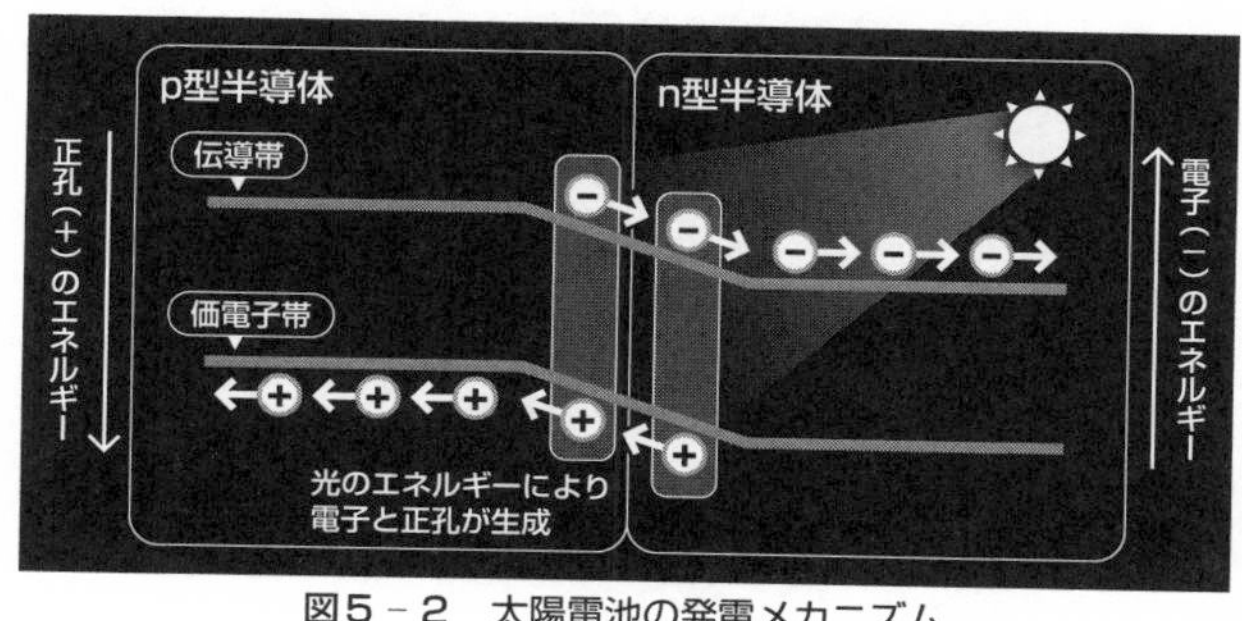

図5－2　太陽電池の発電メカニズム

実は、人工衛星に太陽電池を搭載することは古くから行われています。1957年に世界初の人工衛星（スプートニク1号）が打ち上げられた翌年、米国が打ち上げた世界で4番目の人工衛星ヴァンガード1号（写真5－1）に、世界で初めてシリコン（Si）を原料に用いた約5㎝四方の太陽電池が6枚搭載されました。約1Wの発電能力を有し、6年間も地球にデータを送信する電源として駆動しました。pn接合型の太陽電池の開発から、僅か4年で人工衛星に搭載されたことからも、太陽電池の重要性と必要性がうかがえます。その後の、ほぼすべての人工衛星に太陽光パネルが搭載されていることからも、その安定性や信頼性は折り紙付きであるといえます。

写真5－1　世界初の太陽電池搭載型人工衛星「ヴァンガード1号」
直径16.5㎝の小さな球形衛星に、5㎝四方の6枚の単結晶シリコン太陽電池（発電変換効率：10％）が搭載されている。

地上でも多く用いられている太陽電池ですが、宇宙で用いるには以下にあげるような制約をクリアする必要があります。

(a) 打ち上げ時の振動等に耐えられ、ロケットに格納できること
(b) 軽量・高効率であること
(c) 放射線耐性が高いこと
(d) 温度変化耐性が高いこと

まず、ロケットに格納し、打ち上げ時の衝撃に耐えられなければなりません。また、太陽電池の重量は、そのまま打ち上げのコストに繋がるため、極力軽量化の必要があります。これらの理由により、現在、多くの人工衛星は、ハニカム構造といわれる、蜂の巣のような正六角柱を隙間なく並べた構造で作られた軽量アルミニウム板の上に、太陽電池を樹脂やテープで固定して、パネル状にして用いられることが多いのです。また、前述のとおり、宇宙空間では電子線や陽子線などさまざまな放射線が存在しますが、これらに耐える必要もあります。半導体は放射線耐性が高くないため、金属などで保護しながら用いますが、金属で覆われた部分には太

陽光が当たらなくなってしまうため、太陽光パネルは放射線に直接さらされるしかありません。このため、人工衛星の軌道や放射線の量にもよりますが、シリコンを用いた太陽電池の場合、通常5～8年程度で劣化してしまいます。

人工衛星の場合には、衛星自体の耐用年数があるので大きな問題にはなりませんが、数十年にわたって利用するスペース・コロニーの太陽光パネルを、数年おきにメンテナンス・交換するのは、コスト的にも作業的にも無理があります。さらに、スペース・コロニーが建設される地球周辺の軌道や月面は、日が照ると100℃以上にもなり、日陰になるとマイナス数十～マイナス100℃にもなる環境です。

この大きな寒暖差によって太陽電池が膨張・収

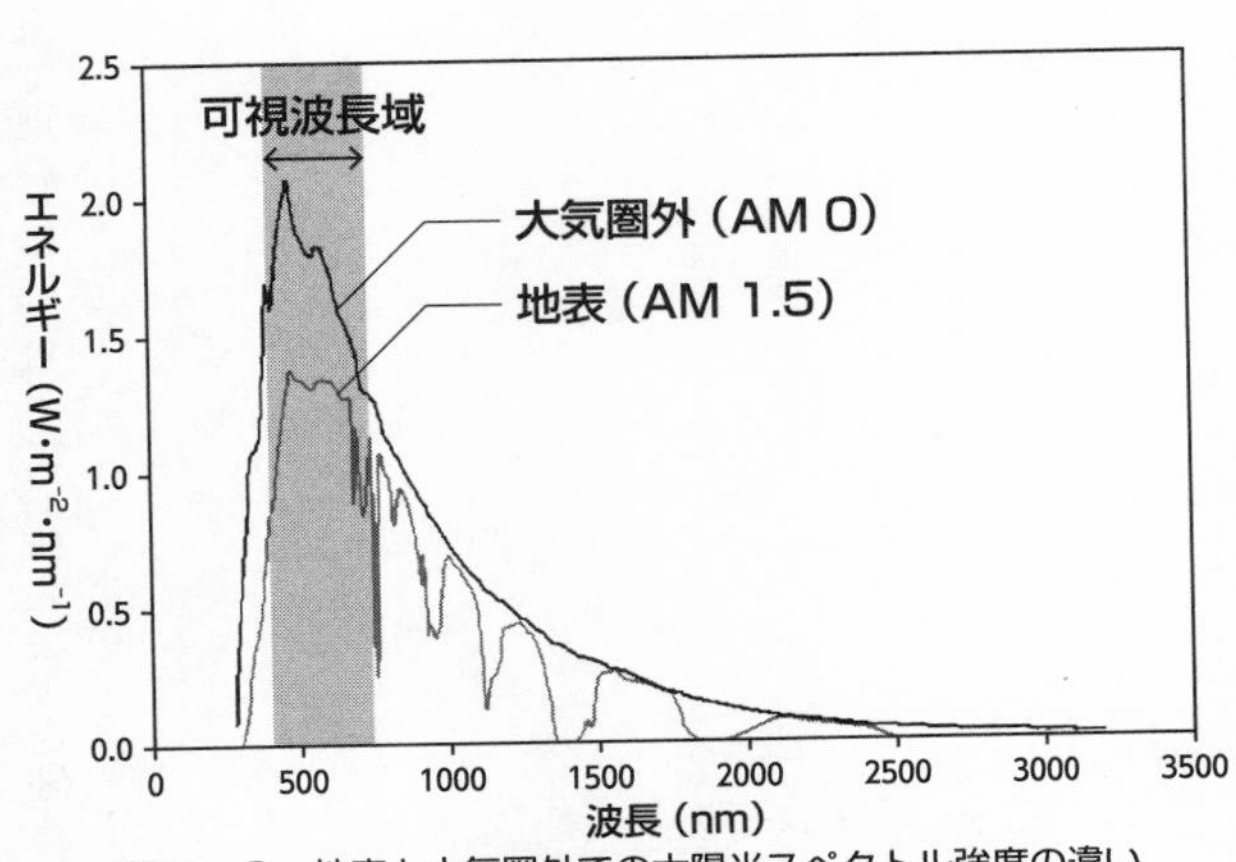

図5－3　地表と大気圏外での太陽光スペクトル強度の違い

縮して壊れてしまうため、温度変化への対策も必要となります。さらに、地球上で用いる太陽電池には、太陽光が大気中で減衰したのちに当たりますが、宇宙では空気がないため、太陽光が減衰することなくそのまま当たります（図5－3）。そのため地球近傍の宇宙空間の場合、可視光線のエネルギー強度が1・5倍程大きくなり、紫外線も強くなります。

したがって地球上で用いる太陽電池とは要求される耐久性に大きな差があり、設計方針が異なります。そこで、宇宙用太陽電池の現状について紹介していきましょう（図5－4）。

まず、地球を周回する気象衛星や通信衛星などの太陽電池には、多くの場合、結晶をつくる原子がきちんと揃っている単結晶シリコンが用いられます。また、半導体材料は地上用のものと同じですが、軽量化するために、先述したハニカム構造基板に取り付けるなどの工夫がされています。

私たちにもなじみのある気象衛星ひまわり8号・9号に搭

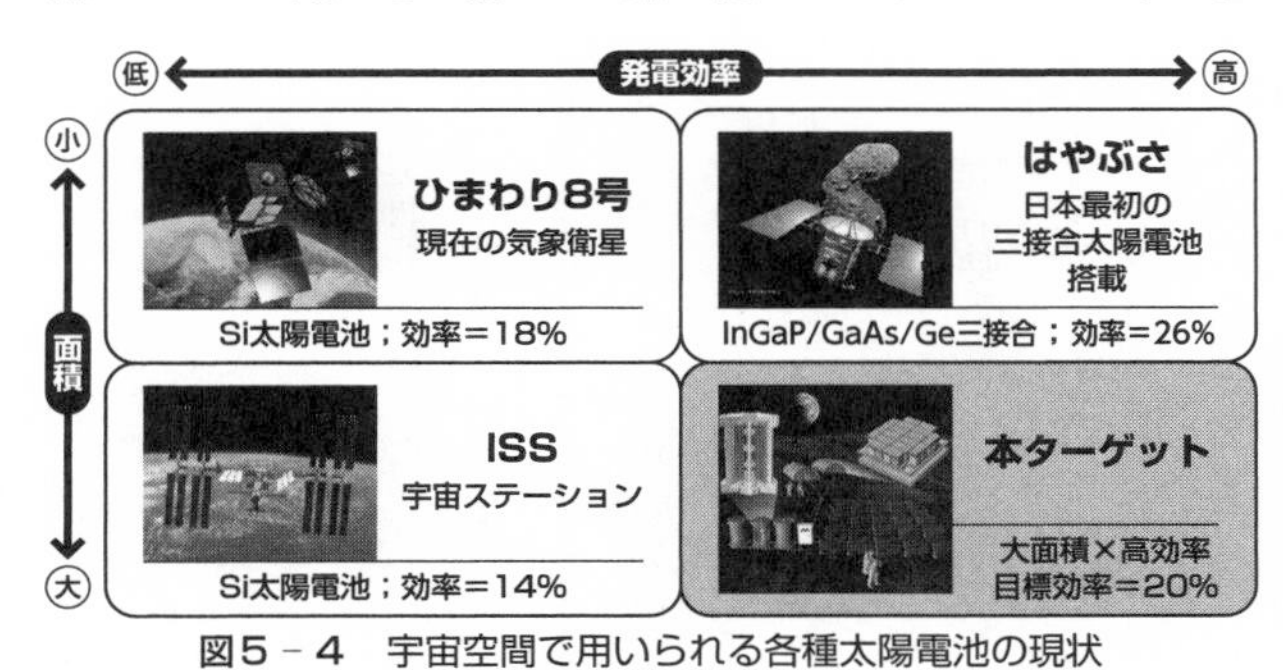

図5－4　宇宙空間で用いられる各種太陽電池の現状
（左上：JAXA、左下：NASA、右上：池下章裕、右下：筆者）

載された太陽電池は、理想的な条件での発電量が２７００Ｗ程度、発電効率は15～18％程度です。一方、太陽から離れた場所で観測する宇宙探査機は、到達する太陽光量が少なくなるため、単結晶シリコンより少ない面積で大量に発電する必要があります。そこで、発電素子には多接合型太陽電池が用いられています。

例えば、小惑星「リュウグウ」探査衛星の「はやぶさ２」には、変換効率26～28％程度という超高効率の太陽電池が搭載されています。これは、最新型の単結晶半導体３種類を接合させた、多接合型太陽電池を用いて、大きさ４・３ｍ×２・５ｍのパネル２枚で、地球から２億㎞以上（太陽から地球までの距離の１・４２倍）離れたリュウグウ近傍で１４６０Ｗの発電量を得ることができます。さらにその重量は49・２kgと軽いことも特徴です。ただし、製造コストがこれまでの単結晶シリコン太陽電池の数百倍かかるため、スペース・コロニーのような大規模発電には不向きです。

国際宇宙ステーション（ＩＳＳ）などで、人間が居住しながら研究活動するためには、さらに大量の電力を必要とします。そのため、より大きな太陽電池を使わなければなりません。ここで問題になるのがその重量です。そこで、太陽光パネルを大量に宇宙空間に運搬するため、軽量なプラスチックフィルムなどを基板に用いた、多結晶シリコン等の「曲げられる（フレキシブル)」太陽電池を用いています。実際、ISS建設時には折り畳んだ太陽光パネルを宇宙空間で展開し、サッカーフィールド程度の空間に設置しており、その大きさがわかります。ただし、半導体は曲げや歪みに弱いため、太陽電池の効率は14%とはじめから低く、多接合型太陽電池の約半分となり、またシリコンを原料に用いているため、放射線耐久寿命は長くありません。このフレキシブル太陽電池は、地上でも電卓や時計などの電源に用いられていますが、大規模発電用に用いることは稀(まれ)です。

スペース・コロニーでは、ISSの数十～数百倍の人間が滞在し、それだけ多くの電力を長期間にわたり使用します。したがって現在実現されていない、「運搬がしやすい軽量・フレキシブル」で「超高効率」かつ「数百年の耐久性」を有する太陽電池開発が必要となります。この条件を実現するために行われている、最近の研究例を紹介します。

5-2 安い、強い、曲がる、高効率

近年、次世代太陽電池として銅(Cu)、インジウム(In)、ガリウム(Ga)、およびセレン(Se)からなる半導体[$Cu(In,Ga)Se_2$]を光吸収層に用いたCIGS太陽電池が注目され、研

究が盛んに行われています。

ＣＩＧＳ太陽電池は、光吸収層のバンドギャップ（禁制帯。電子が存在できないエネルギー準位の領域）が太陽電池に適しているだけでなく、シリコンの約１００倍の光を吸収する特性や、ヒ化ガリウム（GaAs）やリン化インジウム（InP）を用いた太陽電池と異なり、単結晶ではない多結晶の発電素子でも、高い発電効率を得ることができる特性を持っています。これは現在、シリコンに代わるものとして地上用太陽電池としても市販されています。写真５－２は、宇宙での使用実績が多い、ポリイミドフィルムを基板に用いて作製した、宇宙用軽量フレキシブルＣＩＧＳ太陽電池です。単位重量あたり、従来のＣＩＧＳ太陽電池の約50倍の発電量

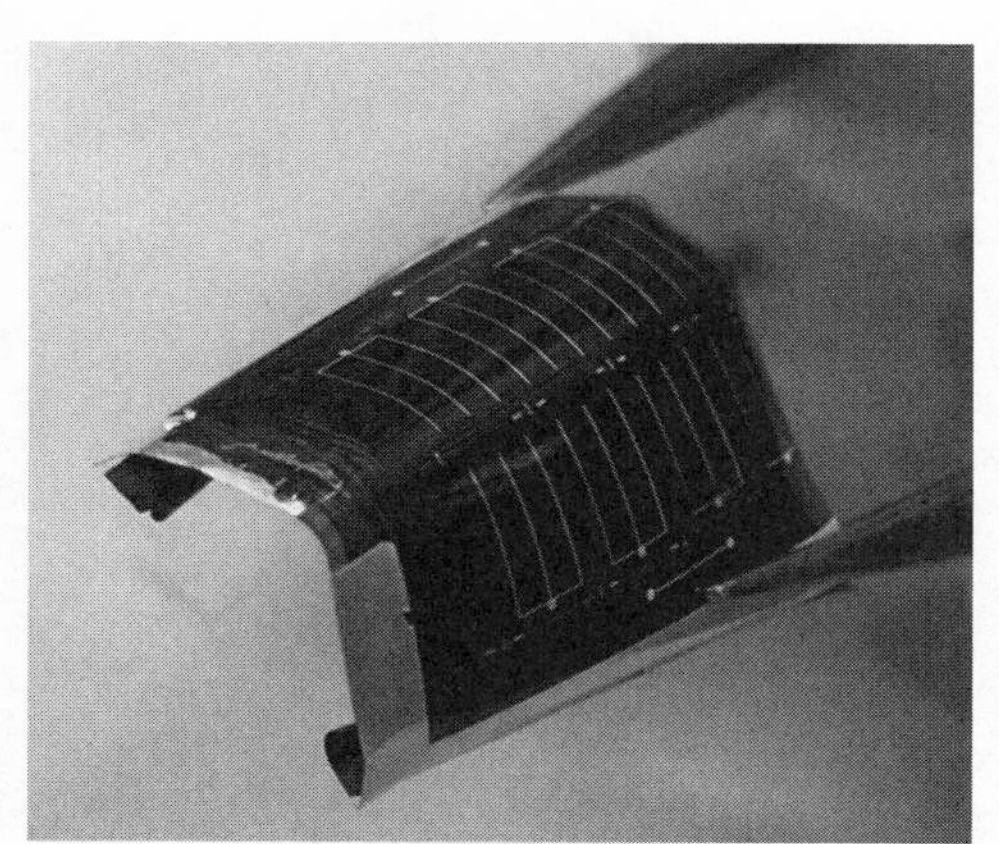

写真５－２ ポリイミドフィルムを基板に用いて作製した宇宙用軽量フレキシブルCIGS太陽電池

を得ることができるようになりました。また、あまりきちんと原子が配列していない「多結晶半導体」を用いているため、曲げても新たな欠陥が発生することがなく、結果として発電効率が低下しないという利点もあります。

では、このCIGS太陽電池の耐久性はどうでしょうか？　そこで宇宙空間を模して放射線の一種である電子線を照射してその耐久性を調査しました。

実験では、ISS軌道で50年程度の被曝量に相当する、1平方cmあたり1000兆個程度の電子線を照射しました。そのさいのCIGS太陽電池の照射前後の発電特性（電流密度－電圧特性）を表したものが図5－5です。このグラフから電子線を照射することで発電特性が、12・33％から13・44％に向上したことがわかります。この特徴は、宇宙空間での長期使用に

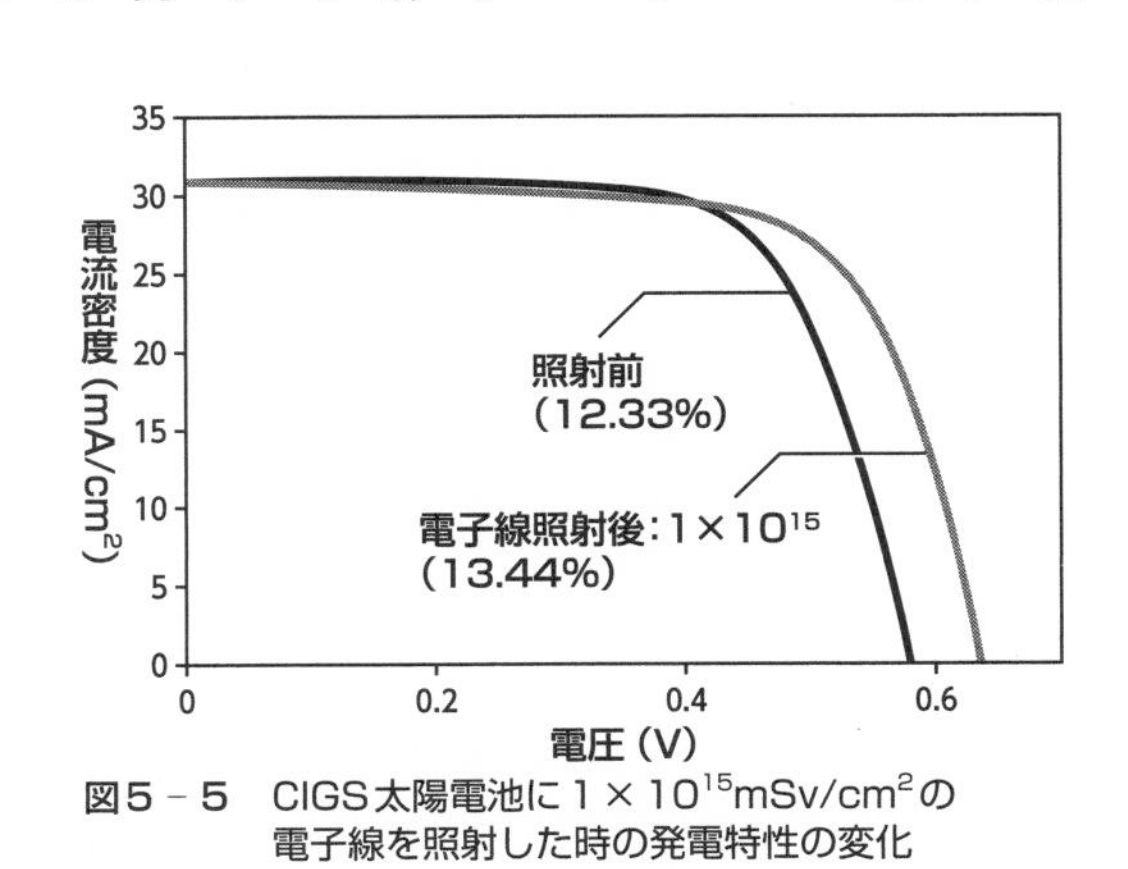

図5－5　CIGS太陽電池に1×10^{15}mSv/cm^2の電子線を照射した時の発電特性の変化

対するＣＩＧＳ太陽電池のアドバンテージを示しています。シリコン系太陽電池より十から百倍程度の放射線耐性があるだけでなく、ある程度の電子線・陽子線を照射すると、発電効率がどんどん向上する「自己修復効果」を持つことを示しています。一般的にシリコン系太陽電池は、もともとシリコン結晶が完全なものであり、放射線照射によって欠陥量が増えてきてしまうことが劣化する主な理由でした。一方で、ＣＩＧＳは、多結晶半導体薄膜であり、作製段階で多くのCu系欠陥が内在しています（この欠陥がｐ型の伝導性を示すので、あえてCu空孔ができるよう設計する）。ＣＩＧＳ太陽電池に放射線を照射すると、優先的にCu原子が弾き飛ばされてしまうものの、その原子はCu空孔位置に収まるため、トータルとしての欠陥量は変化しないことがわかりました。このように、材料の放射線照射などによる欠陥の形成メカニズムを更に理解して、太陽電池の設計にフィードバックすることにより、よりタフで壊れにくい太陽電池を実現することができます。

５－３　ＩｏＴデバイス向け透明太陽電池の開発

最近、身の回りでもＩｏＴ（Internet of Things）という言葉を耳にするようになりました。これは、さまざまなモノがインターネットに接続して相互に情報交換・制御する技術のことです。現在の情報社会インフラは、インターネットを介して、次のステージに向かいつつあるといえます。

さまざまな製品のＩｏＴ化のためには、電源やセンサなどの付加が不可欠となります。そのためには、まずどのような電源がよいのでしょうか。少量の情報を近距離無線通信するためには、少しの電力で事足ります。そこで交換・メンテナンスが不要で半永久的に給電可能な太陽電池とＩｏＴデバイスとの相性はとても良いのです。電源まで一体化したＩｏＴデバイスは、スペース・コロニー内外の安全・快適な環境の実現や、人間の健康状態モニタリングなどに非常に有用です。ただ、シリコンをはじめ従来の太陽電池は可視光線を吸収し電力に変換するため黒色です。これは、ＩｏＴデバイスのデザインを損ねてしまうという欠点がありました。そこで、現在、可視光線を透過し、紫外線のみを吸収して電力に変換する「透明な太陽電池」の開発が盛んになっています。

さらに、この透明太陽電池では、材料の組み合わせによっては、乾電池よりも大きな電圧を得られるため、実用化に向け期待されています。紫外線を吸収させる（大きなバンドギャップを有する）半導体として、金属を酸化させることで得られる酸化物半導体を用いることが一般的です。とりわけ、酸化ニッケル（NiO）はなにも添加しなくても、半導体を作製するときにできてしまう欠陥によって自然とp型半導体になることから、これまで実用化されていた酸化亜鉛（ZnO）などn型半導体と組み合わせることで、透明pn接合を形成させることができます。一例として図5－6に、地上および宇宙空間を模したスペクトルの光を、酸化ニッケル系透明太陽電池に照射したときの発電特性を紹介します。

前述したように、透明太陽電池は、紫外線のみ吸収して発電します。宇宙空間では大気による光吸収がないため、紫外線の照射量が多く、地球上で使用するのと比べ、2倍以上の発電量を得られることが明らかになりました。この結

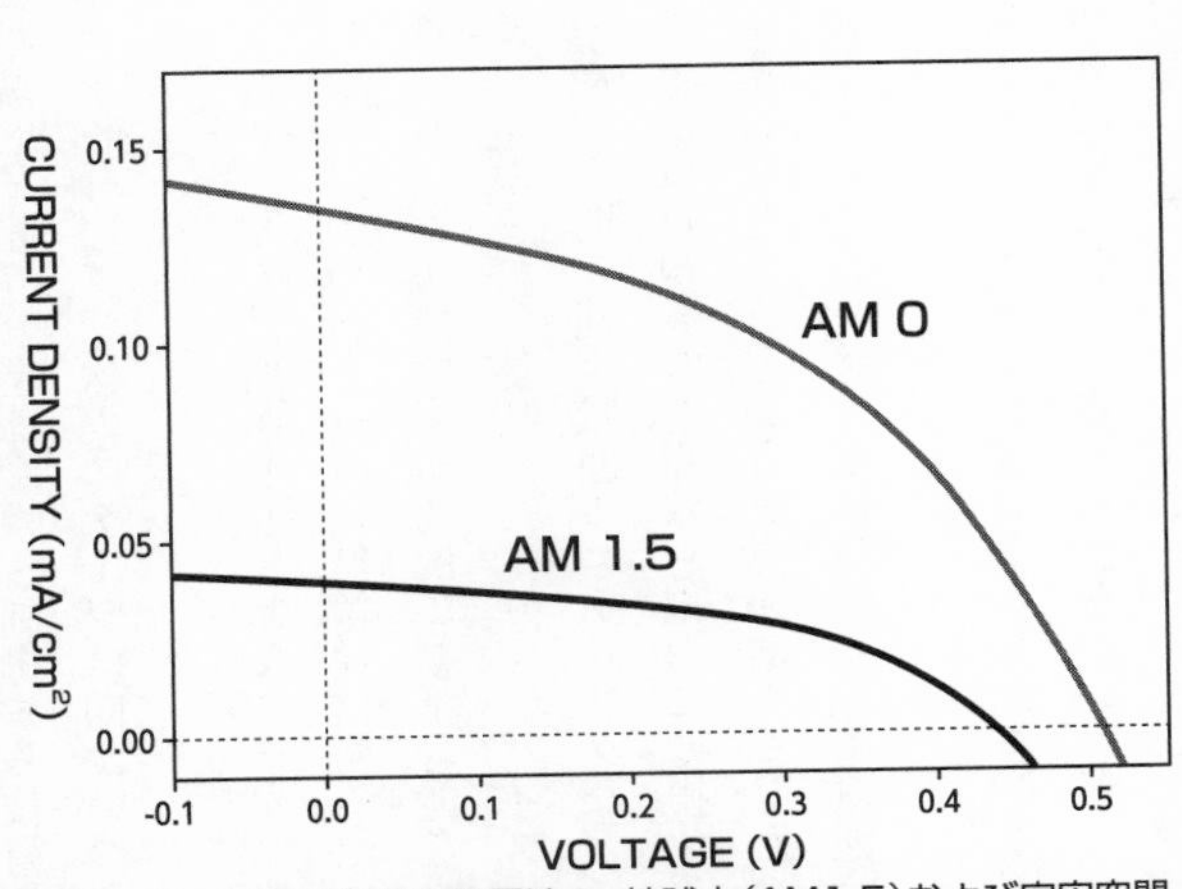

図5－6　NiO系透明太陽電池の、地球上（AM1.5）および宇宙空間上（AM0）を模したスペクトルの太陽光を照射したときの発電特性

果から、透明太陽電池が、IoT向け電源としてだけではなく、宇宙空間の強い紫外線の遮蔽物としても利用できることが期待されています。実際、透明太陽電池を構成する半導体であるp型NiOおよびn型ZnOは、金属酸化物であるため、原子の結合エネルギーが大きく、放射線照射による欠陥生成が抑制されます。地上で実施された放射線耐久試験では、シリコン太陽電池より十～百倍壊れにくいCIGS太陽電池より、さらに数十～数百倍の放射線耐性があることがわかっています。

　この透明太陽電池の上に、透明なセンサ、透明なトランジスタなどを積層させることで、透明なワンチップでIoTに関するすべ

写真5－3　透明太陽電池で発電した電力でスペース・コロニー内の二酸化炭素濃度をモニタするIoTセンサ

ての仕事をこなす「ＩｏＴ向けインテリジェント透明デバイス」を構築することもできます。

一例として写真５－３に、透明太陽電池で発電した電力で駆動するＩｏＴ向け、透明二酸化炭素センサを積層したインテリジェント・デバイスの構造と表面写真を紹介します（電極は認識しやすいよう金を使用している）。これは植物の人工栽培中の二酸化炭素濃度を常時モニタリングする重要な役割を果たすセンサです。すべて金属酸化物で構成されているため安価に製造でき、従来のセンサのような複雑な電子配線などが不要です。さらに太陽電池もセンサも、フレキシブル（柔らかか）なプラスチックの上に作製可能なので、スペース・コロニーだけでなく、宇宙服や曲がった壁面などどこにでも設置できる利点があります。

５－４　熱電変換素子による発電

スペース・コロニーで生活する際に、欠かせないものがエネルギーであることは、これまでにも述べてきました。太陽電池は無尽蔵の太陽光を用いることができ、また、発電時に廃棄物を発生しないため理想的なエネルギー源ですが、例えば、月面でのコロニーにおいては、場所により長期間太陽光が当たらない環境で生活しなければならない場合もあります。もちろん蓄

図5－7(a)　惑星探査衛星のJuno（木星探査）（NASA）

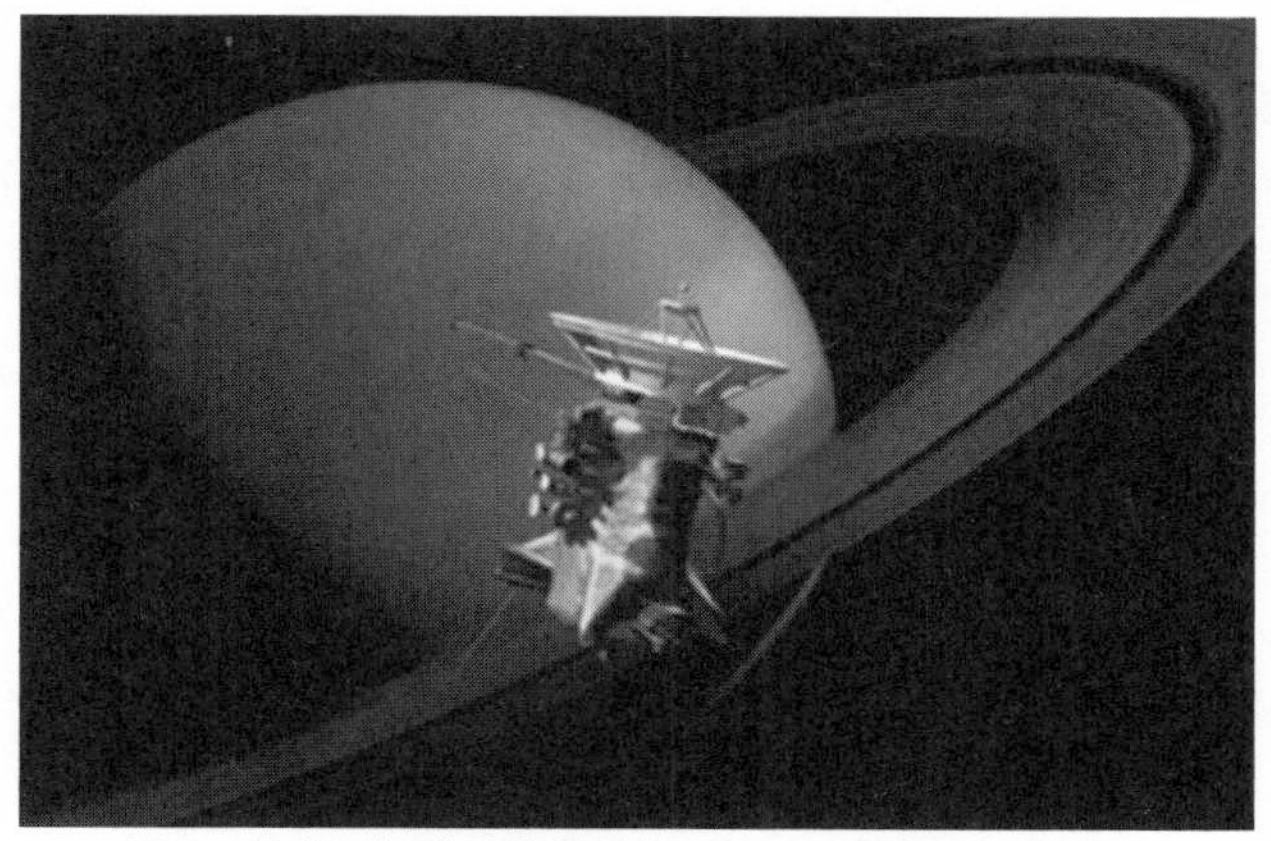

図5－7(b)　惑星探査衛星のCassini（土星探査）（NASA）

電できれば太陽光が得られない期間は、その電力でエネルギー供給が可能ですが、バッテリーの運搬やメンテナンスを考慮すると、太陽光発電以外にも電力を得る仕組みを検討することは重要な課題です。

図5－7は米国NASAの探査衛星で、木星探査用のジュノ(Juno)と土星探査用のカッシーニ(Cassini)のイメージ図です。ジュノは衛星本体部分から3方向に太陽電池パネルを広げて、太陽光から電力エネルギーを得ています。

一方、カッシーニには、太陽電池パネルに相当する機構は搭載されていません。これは、探査衛星が土星周辺まで到達すると、太陽から届く光は少なくなり、太陽電池での発電では十分な電力が供給できないためです。そこで、太陽電池に換えて搭載されている発電システムが、図5－8に示す「放射性同位体熱電気発電機」(RTG：Radioisotope Thermoelectric Generator)と呼ばれるものです。これは熱電池のような仕組みを持った発電システムで、衛星内で必要な電力を賄っています。

図5－8　放射性同位体熱電気発電機
(RTG：Radioisotope Thermoelectric Generator)

このＲＴＧ発電では、発電機内に小型の原子炉を搭載していて、この原子炉から放出される摂氏数百度の熱をエネルギー源として、宇宙空間との温度差により電力を得ています。このためカッシーニでは、太陽電池を搭載していなくても衛星の制御・通信に必要な電力を得ることができます。ＲＴＧ発電は、これまでに１９７２年３月に打ち上げられたパイオニア（Pioneer）10号や、１９７７年に打ち上げられたボイジャー（Voyager）１号、２号などの深宇宙探査衛星にも搭載され、宇宙のどこまで遠くに到達できるかというミッションにおいて、さまざまな情報を宇宙の遥か彼方から通信することを可能にしてきました。現在、もっとも遠くから送信され

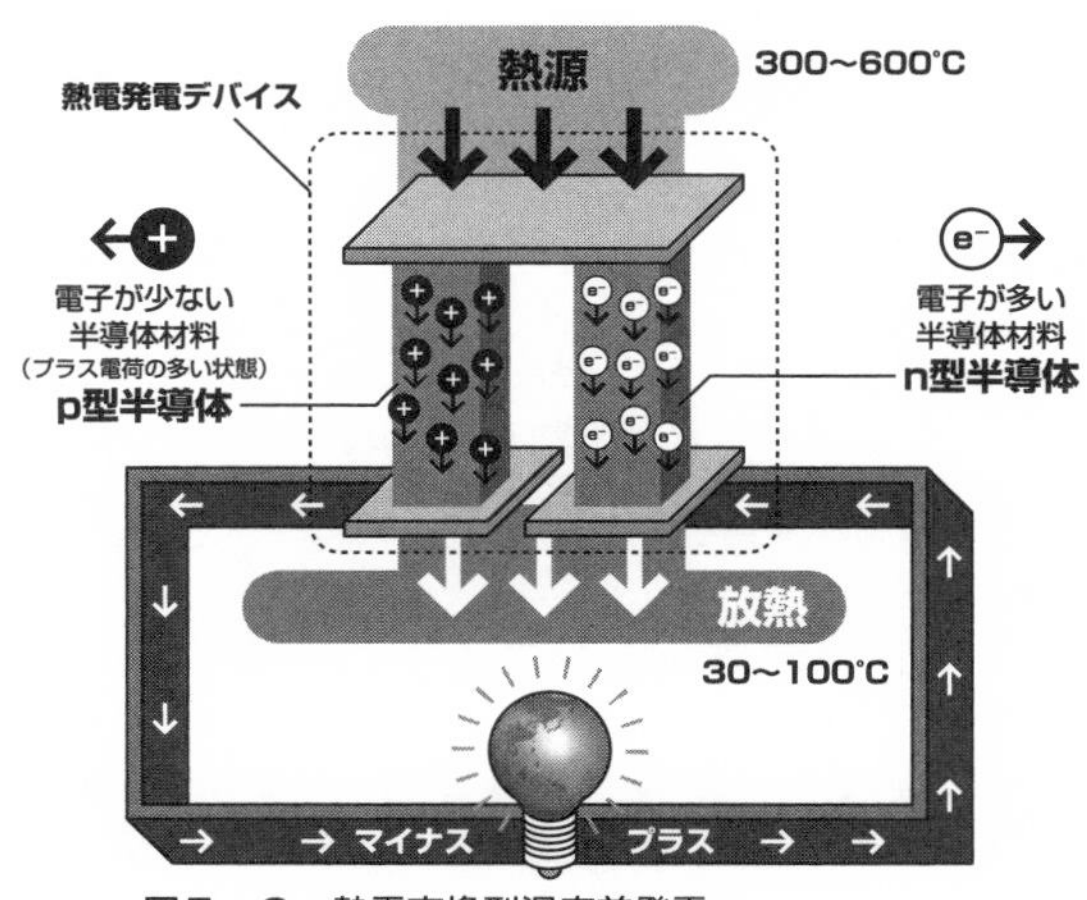

図5－9　熱電変換型温度差発電
(TG : Thermoelectric Generator)

てくる情報は、ボイジャー2号のものです。ボイジャー2号は、太陽圏を離脱して地球から180億km離れた「星間空間」から宇宙空間の情報を送信し続けています。

さて、この温度差により発電する方式は「熱電変換」と呼ばれ、2つの異なる金属をつなげ、両方の接点に温度差を与えると、金属の間に電圧が発生し、電流が流れるという現象を利用したものです（図5－9）。1821年にドイツの物理学者トーマス・ゼーベックによって偶然発見されたことから、ゼーベック効果とよばれています。

実際の衛星では、ゼーベック効果を熱電池として利用するために、2種類の半導体材料を熱源と低温側の放熱部の間に設置していま

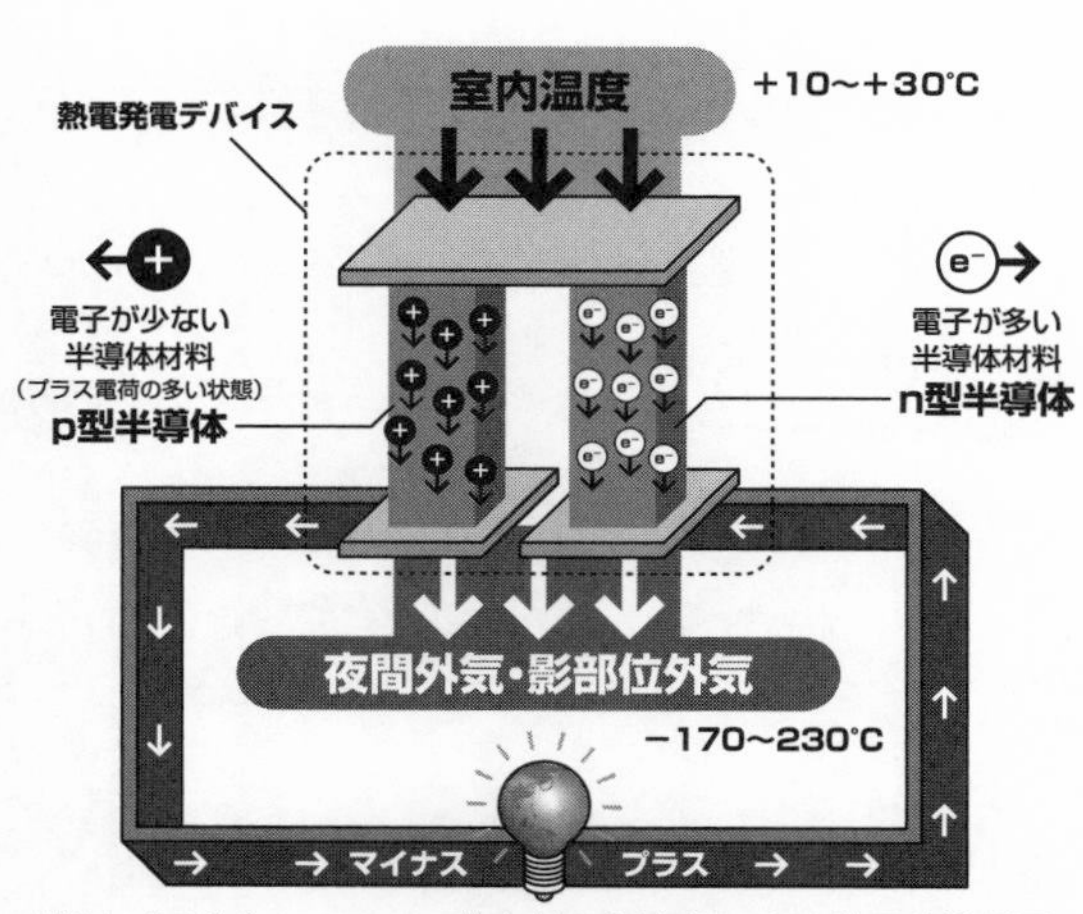

図5－10(a)　コロニー室内外の温度差による熱電変換発電
（夜間時／日陰動作時の室内外の温度差）

す。このとき、半導体材料には少量の不純物質を人為的に添加し、「電子が多いn型半導体材料」と「電子が少ないp型半導体材料」を作り分け、それらを並べて配置し、温度差からより多くの電力を得られるようにしています。「電子が少ないp型半導体材料」では、正孔とよばれるプラス電荷が存在し、図5－9に示したように、熱源と放熱部の間の温度差で、半導体材料中の電子と正孔の移動を引き起こし、電力を得ています。

月面でのスペース・コロニーにおいてこの熱電池を使用する場合にはどうでしょうか。

月面の夜間または太陽光の当たらない期間では、コロニー外部の温度はマイナス170～マイナス230℃まで下がります。逆に、

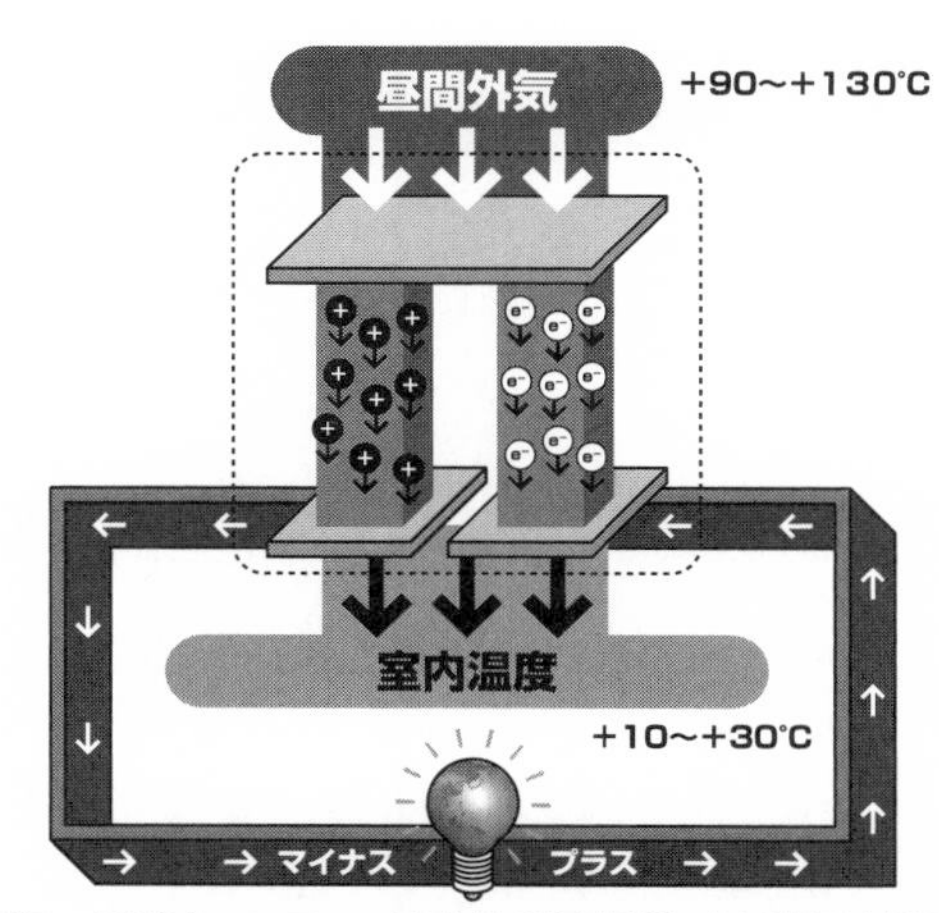

図5－10(b)　コロニー室内外の温度差による熱電変換発電
（昼間時の室内外の温度差）

太陽光が当たる場合には、プラス90〜130℃に上昇します。コロニー内部の気温を10〜30℃だとすると、図5-10に示したように夜間時や昼間時に生じるコロニー内外の温度差に熱電変換技術を利用することにより、温度差のみで電力を得ることが可能になると考えられています。また、たんにコロニー内部と外部の温度差だけでなく、昼間時の太陽光を集光して熱として比熱（物質1gあたりの熱容量）の大きな物質に与え、物質の温度変化を利用して熱を蓄えることができるのを利用し、昼間に蓄えられた熱と夜間あるいは太陽光が照射しない状況の温度差で発電をすることも可能になります。

月面という環境では、昼間に熱を蓄えた蓄熱部ではプラス80℃程度が得られます。一方、日陰面や夜間時にはマイナス110℃程度となり、この温度差を用いることで、熱電変換技術的には、十分な発電環境が実現できると考えられています。

また、月面においての蓄熱対象物質は、レンガ（第3章で紹介した月のレゴリスを現地にて加工したもの）と水（地球より分割輸送したもの、あるいは月に存在する氷から得たもの）が考えられています。

スペース・コロニー内では、コロニーで消費される電力を賄う発電の他に、いわゆるIoTに代表される環境センシングシステム用の電源供給も必要となります。コロニー内外の温度差による熱発電技術は、70～100℃の温度差で数Wの電力が供給できることから、温度差が得られる箇所にこの熱発電電池を埋め込み、独立設置型熱電池としてさまざまな場所で電力を供給することができる可能性も持っています。

5-5　フライホイールによる蓄電

これまで見てきた電池は、化学的なエネルギーが蓄えられているものでした。これに対して機械的エネルギーを貯蔵しようという方法もあります。これが「フライホイール・バッテリー」とよばれるものです。フライホイール・バッテリーとは、円盤のような形状のものを回転させて、その運動エネルギーを貯蔵、または電気エネルギーに変換するエネルギー供給システムです。フライホイール・バッテリーは、一般的にはあまり使用されていませんが、一部の電車やクレーン車などに利用されています。これは重量が重いという欠点があり、あまり普及していません。

過去にも、数多くの軽量フライホイールに関する研究開発プログラムが存在し、米国陸軍研究所でも複合材料のフライホイールを用いたエネルギー貯蔵に関する研究が行われました。フライホイール・バッテリーは化学バッテリー（電池）と異なり、短時間に大容量のエネルギーを出力できることが特徴です。また、NASAは国際宇宙ステーションの電力貯蔵にフライホイールの技術を応用したCMG（Control Moment Gyro）を使用しています。安全で、環境に優しく、繰り返し使用に対しても耐久性があるなどの優れた点を持っているためです。

現在、航空宇宙構造材グレードである高剛性炭素繊維強化プラスチック（CFRP：Carbon Fiber Reinforced Plastic）を用いることで図5－11のような、高性能なフライホイールの開発が進められています。

宇宙での使用だけでなく、地上でもエネルギー問題を背景として、高性能なエネルギー貯蔵

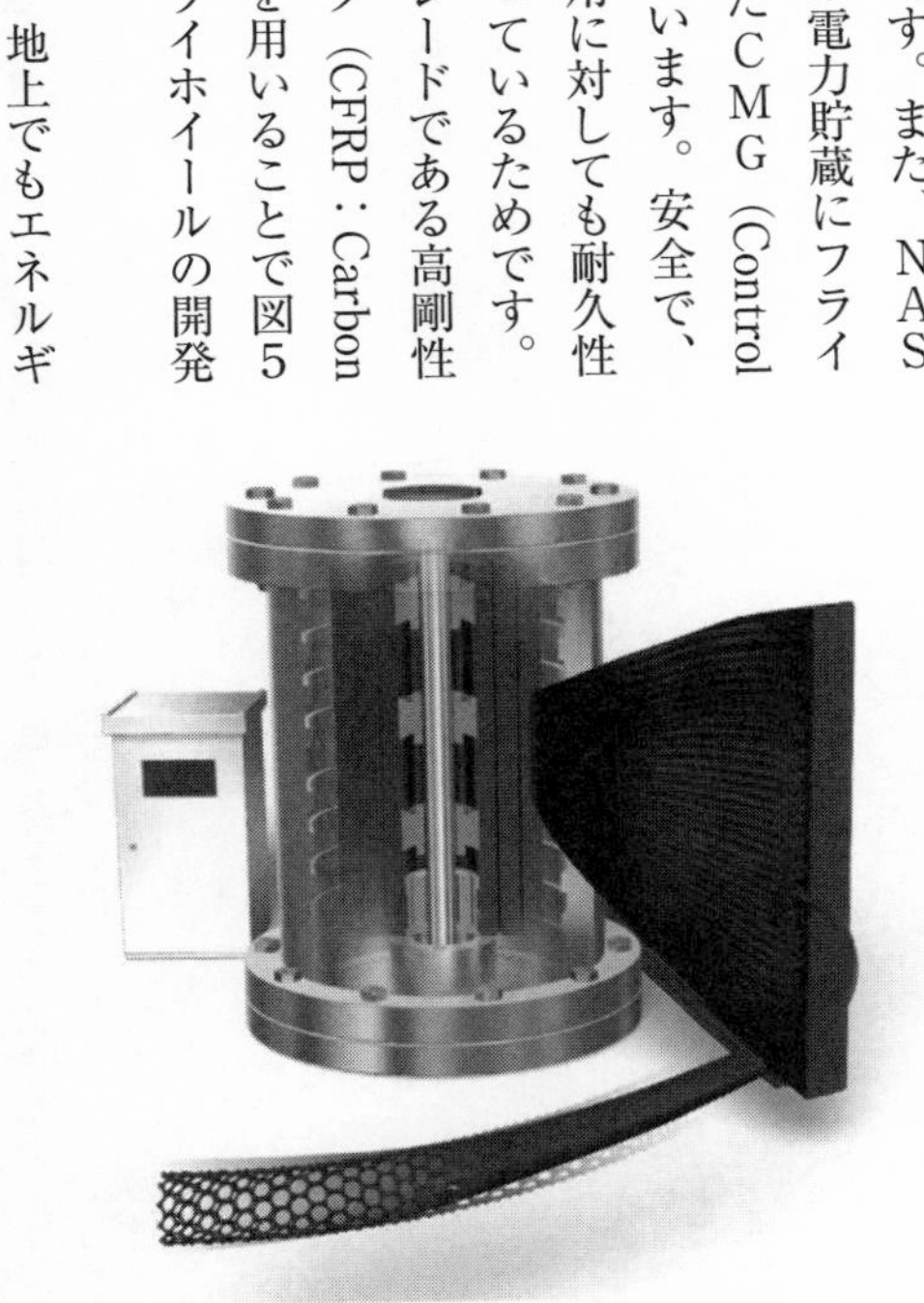

図5－11　CFRPフライホイール・バッテリーのイメージ

システムの開発が求められています。エネルギーの回生や、風や地熱などを利用する不定期な自然エネルギーを蓄えておくためにも、このフライホイール・バッテリーは注目されています。現在もハイブリッド自動車を代表として、ブレーキを掛けたときの抵抗を電気エネルギーに回生する技術が実用化されています。自動車の電池には、一般的にはリチウムイオン・バッテリーが使用されており、この化学バッテリーは毒性・値段・経時劣化などの問題が山積しています。

そこで、自動車の制動の際の回転エネルギーを、そのまま機械エネルギーとして蓄え、回生することができれば、従来のように電気エネルギーに変換するさいに発生するエネルギーロスが少なく、効率的なエネルギー回生システムを作ることができると考えられています。

そのため、高性能フライホイール・バッテリーの開発は、再生可能エネルギーの利用拡大にも大きく貢献できる技術なのです。

表５－１に、ＣＦＲＰフライホイール・バッテリーと既存の汎用リチウムイオン電池の比較をまとめてみました。

表の項目１に出てくるエネルギー密度とは、バッテリーの効率をわかりやすく示す数値です。

項目	CFRPフライホイール・バッテリー	汎用リチウムイオン電池
1	× エネルギー密度100Wh/kg	エネルギー密度 200Wh/kg
2	○ 何回でも繰り返し使用可能	使用回数： 500回ぐらいで交換
3	○ 高出力	低出力
4	○ 使用温度制限なし	使用温度制限あり
5	× 磁気軸受け等の 精密な技術が必要	汎用性が高い
6	× 真空にする必要あり	真空にする必要なし
7	× 破損のために大がかりな 保護カバーが必要	特殊な保護は不要
8	× 値段が高い（成形が大変）	比較的安価
9	× 採用実績が少ない	汎用品

表5－1　CFRPフライホイール・バッテリーと既存の汎用リチウムイオン電池の比較

これを見るとCFRPフライホイール・バッテリーは、汎用リチウムイオン電池に現状では劣っていることがわかります。これが機械バッテリーがそれほど普及していない大きな要因の一つとなっています。現存のCFRPでは、エネルギー密度200（Wh/kg）が最大値で、これはリチウムイオン電池に追いつくのがやっとという状態です。

また、物質に外から力が加わると応力とよばれる力が物質内部に発生します。応力は、機械の破損などの原因にもなります。この周巻きCFRPは強度や剛性に優れているため、回転で発生する大きな周方向応力（3～5ギガパスカル）に耐えることが可能ですが、同時に発生する比較的小さい半径方向応力によって、スプリッティング破壊（繊維の方向に沿った縦割れ）を生じてしまいます。そのため、機械バッテリーは、耐久性という観点からも大きな問題があります。逆にいえば、回転数と耐久性が向上することが、フライホイール・バッテリーの高性能化に直結します。そのため、材質や機構の研究が、現在進められています。

表5－1に示すとおり、項目5から9までは、リチウムイオン電池に完敗です。高品質化のための技術が必要なこと、空気の抵抗をなくすために動体の周囲を真空に保つ必要があること、また万が一、壊れたときのためにかなり大がかりな保護ケースが必要なことなどの不利もあります。さらには製造コストが高いうえに、まだ実績が少ないためノウハウも蓄積されていません。

こうしてみると、CFRPフライホイール・バッテリーは、あまり実用的でないように見えますが、これは地上での使用を想定した場合です。もし、宇宙滞在のために使用すると考えるとどうなるでしょうか。

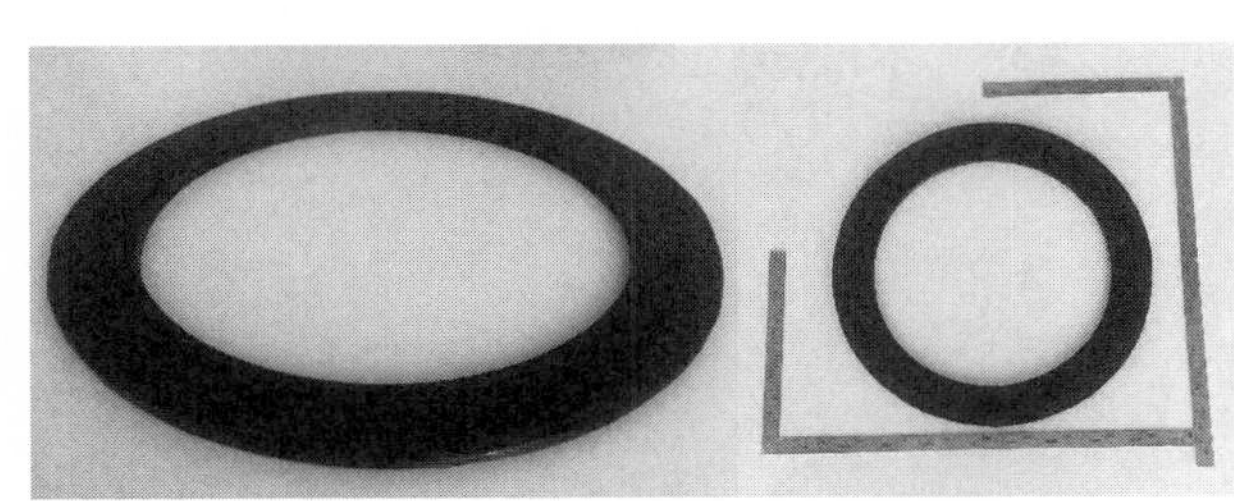

写真5－4　CFRPフライホイールの試作品

まず、重力がないので軸受けは簡便なもので済ませられるほか、宇宙空間は真空であるなどの理由から、表の項目5と6は解決されます。また、一般に宇宙で何かを使うとき問題となるのは温度ですが、この点に関してもCFRPフライホイールは、もともと優れていますし、耐久性も申し分ないといえます。項目7の保護カバーに関しては、スペース・コロニーに取り付けられるデブリ対策用のカバーを転用すればよく、これも解決可能です。コストも大量生産体制が構築されれば比較的安価となることを期待できますし、使用が進めば自ずとノウハウも蓄積され実績が増えます。最後に紹介する写真5－4は、高性能CFRPフライホイールを試作したものです。このフライホイールに回転試験を実施して、その性能が確かめられています。まず高速で回転させても壊れないフライホイールであることがわかりました。そして、このサイズのフライホイールを多く成形して合計60kg分集めると、一般家庭で1日に消費するとされている10キロワット時の電力量が貯蔵可能となります。このようにCFRPフライホイールは、宇宙で使うべき蓄電システムであるといえるのです。

第6章

水・空気再生技術

人が生きていくためには水と空気は欠かせません。当然、スペース・コロニーを運用するうえで、もっとも大切なものが、この水と空気だといえるでしょう。では、これらはどのように得ることができ、使われるのかをこの章で見ていきます。

まず、スペース・コロニーを考える前に、現在運用されている国際宇宙ステーション（ISS）では実際にどのように水や空気を利用しているのかを紹介します。

国際宇宙ステーション（ISS）計画は、1984年に計画がスタートし、1998年に打ち上げられ、2000年より宇宙飛行士による運用が開始された、歴史のあるプロジェクトです。少なくとも2024年まで軌道上での運用を行うことが合意されており、さらに2028年までそれを延長することも検討中です。

現在、ISSでは、水と空気は地球から運ばれ、浄化再生装置によりリサイクル使用されていますが、すべての水と空気を浄化再生できるわけではありません。浄化再生できなかった有害な物質を含む水と空気は廃棄されます。そのため、新鮮な水と空気が定期的に地球から運ばれて補給されています。

さらに、現在、第1章で紹介した月を回る有人の宇宙ステーション「月軌道プラットフォーム・ゲートウェイ（Lunar Orbital Platform-Gateway）」の建設が計画されています。これは有人月探査の前哨基地として、また深宇宙で宇宙飛行士が長期間滞在するための訓練施設として活用されるもので、さらには有人火星飛行に向けた土台にもなる予定です。

このゲートウェイでも、限定された資源である水と空気を常に浄化するシステムが重要となります。これは環境制御・生命維持システム（ＥＣＬＳＳ：Environmental Control and Life Support System）とよばれるものですが、搭乗員に居住可能な環境を提供するためのシステムです。空気だけでなく、水や食料まで、人体に有害な物質に汚染されていないきれいな環境を常時提供する機能が必要となります。この章では、宇宙で居住可能な空気環境を提供するＥＣＬＳＳ空気系サブシステムについてＩＳＳを中心に解説するとともに、私たちの研究チームが取り組んでいる、光触媒技術を利用した水と空気の再生について紹介していきます。

6−1　環境制御・生命維持システム（ＥＣＬＳＳ）

ＥＣＬＳＳの機能と構成

環境制御・生命維持システム（ＥＣＬＳＳ）は、要約すると「ヒトが宇宙で生きていくために必要な環境を提供するシステム」です。これは有人宇宙ミッションには必要不可欠なシステムです。そこで、ＥＣＬＳＳには「地上の生活環境を、そのまま宇宙で実現すること」が要求されます。ＥＣＬＳＳに要求される機能をまとめると、次の４つに集約できるでしょう。

① 空気環境の維持（空気系）
② 水の供給（水系）
③ 食料の供給（食料系）
④ 廃棄物の除去（廃棄物処理系）

目標とされるＥＣＬＳＳのシステム構成例を図6−1に紹介します。

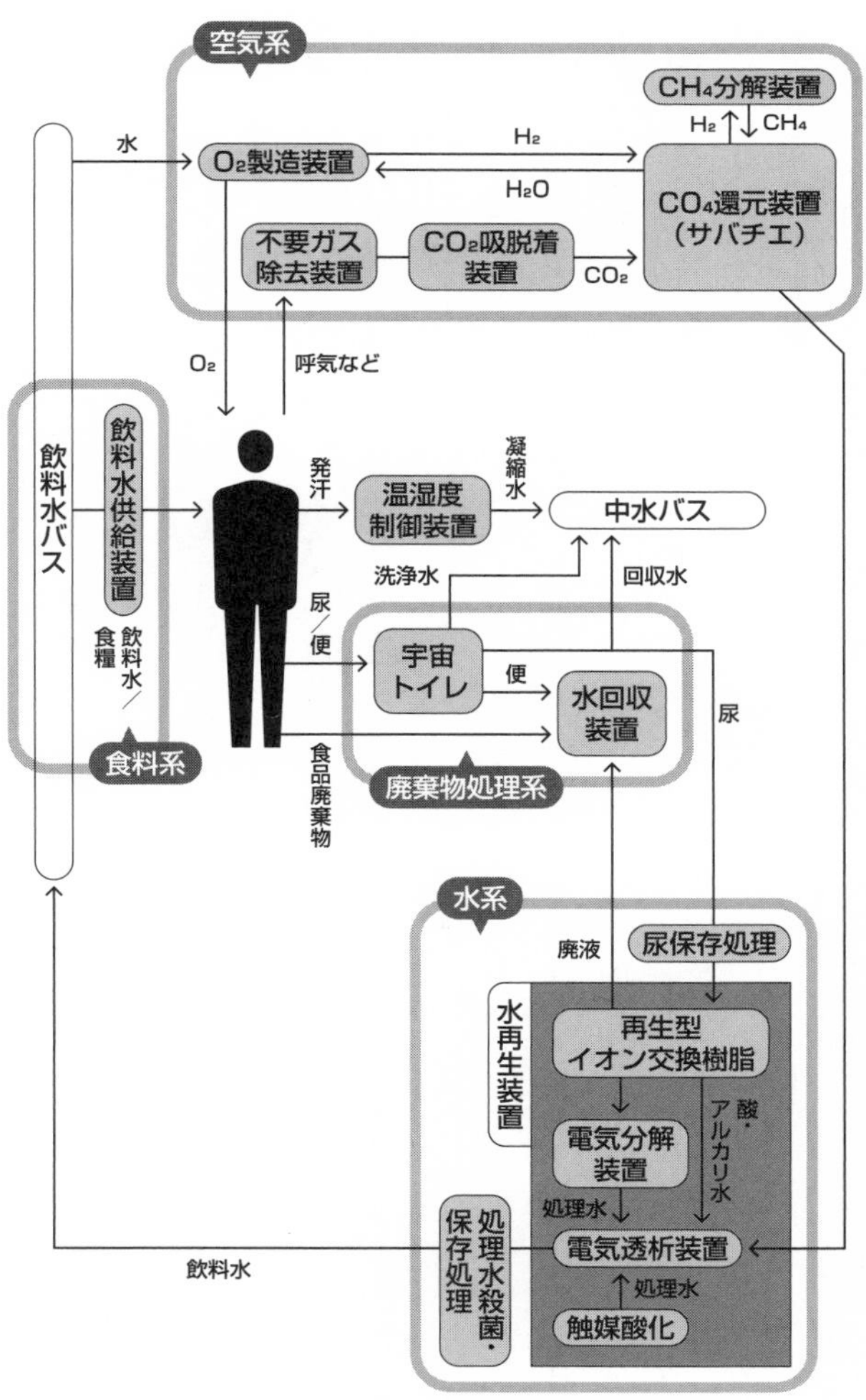

図6－1　ECLSSのシステム構成例

ＥＣＬＳＳは、空気再生システム、廃棄物処理システム、水再生システムの３つに分けられます。中でも、宇宙空間の閉鎖環境下で気相雰囲気を制御する「空気再生システム」は宇宙飛行士の生命維持のために重要です。不要ガスを除去するとともに、二酸化炭素（CO_2）を抽出し、CO_2に含まれている酸素（O_2）を取り出して空気を再生するプロセスが、現在、さまざまな形で検討されています。

まず、CO_2からO_2を抽出する方法の候補として挙げられているのが、サバチエ反応（$CO_2 + 4H_2 \rightarrow CH_4 + 2H_2O$）を利用するものです。サバチエ反応とは、第４章でも触れましたが、水素と二酸化炭素を高温高圧状態にし、ニッケルを触媒としてメタンと水を生成する化学反応のことです。CO_2と水の電気分解で生成する水素（H_2）を反応させて水（H_2O）を作り出し、その水を再び電気分解してO_2を製造するシステムです。また、サバチエ反応で生成するメタン（CH_4）を排気するとH_2が不足してしまうため、将来的にはCH_4分解を行うことによってH_2を系内に残す方法が検討されています。

ＥＣＬＳＳに必要な資源

ＥＣＬＳＳに必要な資源は、①空気 ②水 ③食料の３つです。これらを適切に供給し、出てくる廃棄物を適切に処理するのがECLSSの主要な役割です。

図6－2に人が一日に行う呼吸などの活動による物質収支を示しました。この図をもとに、話を進めていきます。

まず物質収支とは、投入した物質の量と得られた物質の量との差し引きによる結果を指します。ここではヒトが快適に生活するうえで必要な物質（酸素、水、食物、生活用水）に対して、生活することでヒトから排出される物質（二酸化炭素、汗・水蒸気、尿、糞便、生活排水）を示しています。これは、宇宙飛行士が生命を維持できるギリギリの物質量ではなく、可能な限り快適な生活ができる物質収支が理想です。

それでは、まず本章のテーマとなる、空気、水、食料について、それぞれの現状と課題を見てみましょ

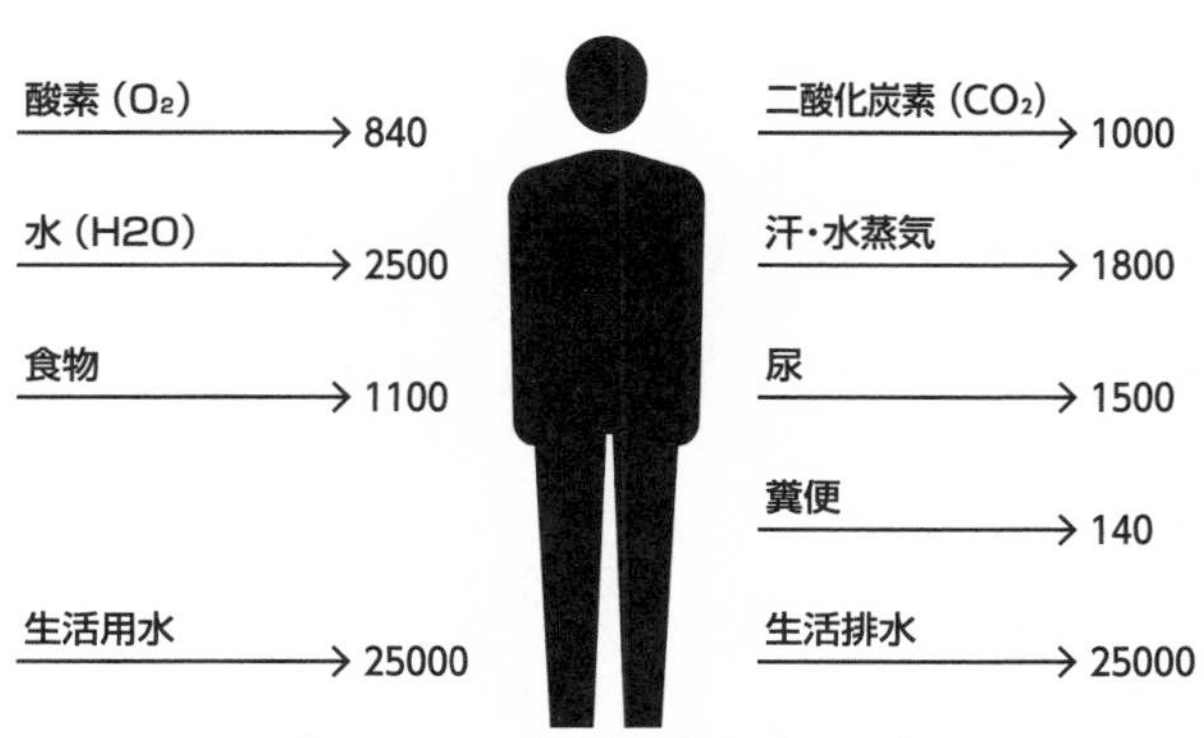

図6－2　ヒトの物質収支（g/day）

う。

〈空気〉

人が一日に必要とする酸素（O_2）は、840gです。現在、ISSでは空気は補充されています。将来的には、前述のように二酸化炭素の還元（サバチエ反応）による水生成と水分解による酸素生成という循環系の構築を目指しています。

さらに、スペース・コロニー内を1気圧に維持するためには窒素（N_2）なども必要となります。窒素は流出した量を空気ボンベからときどき供給しています。また、空気は温度・湿度を制御する必要があります。

〈水〉

最低限ヒトの生命を保つために必要な水の量は、一日あたり2〜3リットルだとされています。さらに、快適に生活するために必要な水の量となると、これよりずっと多くなります。

地上では、一日あたり一人200〜300リットル程度の水を使用しています。そのため、宇宙でも快適な生活環境を提供するためには、これと同等の量の水を供給することが重要です。現在のところ、水は地上からの補充によって供給されています。あらかじめ十分な量の水を持っていき、それを100％回収・完全リサイクルして飲料や生活用水にできることが理想となり、そのための手段が研究されています。

〈食料〉

食料の必要量は、一人の人間が一日あたり1・1kgです。第4章の宇宙農業では、植物の栽培を紹介しましたが、動物を原材料とした食物も欠かせません。そこで、動物性食品はあらかじめ多種類の食品に加工調製して宇宙へと運ばれます。動物そのものを原材料とする食物を宇宙で簡単に調達できる見込みは、まだ考えられていません。

人の食料の基本は植物ですが、この中でもとくに穀物がないと生きていけません。穀物の生産には、光、水、二酸化炭素（CO_2）などが必要ですが、とくに水は大量に必要とされます。生産される穀物の乾燥重量（ドライ成分）の1000倍くらいの水が必要となります。この意味でも水は、宇宙での食料生産にも必要不可欠の資源だといえます。

ＥＣＬＳＳの種類

環境制御・生命維持システム（ＥＣＬＳＳ）は、地球への資源依存度により以下の３つに分類できます。

①　消費型ＥＣＬＳＳ

これは必要な資源はすべて地球から持っていき、出てくる廃棄物は捨ててしまう使い捨て方式です。これまでにヒトは地球周回軌道、さらには月面まで行きましたが、そこで必要なＥＣＬＳＳ資源はすべて地上から運んだものでした。現在運用中のＩＳＳでも、これまで実行された有人ミッションでも、すべてこの消費型ＥＣＬＳＳで行われています。

②　再生型ＥＣＬＳＳ

再生型は、文字どおり排出される廃棄物を再利用するＥＣＬＳＳです。廃棄物を再利用することで地球から運ぶＥＣＬＳＳ資源の量を大幅に削減でき、同時に廃棄物の量も削減できる利点があります。

これは、とくに長期の滞在ミッションにおいて、とても有効なシステムとなります。ＩＳＳ

でも、常時人が滞在するようになってから、初めてこの再生型ＥＣＬＳＳの一部の運用が始まりました。再生する対象となったのは、CO_2、尿、空気中の水蒸気を凝縮した「凝縮水」です。いずれも再生処理され、CO_2はO_2に、生活排水はきれいな水へと再生されます。これによってＩＳＳでは水の貯蔵量に余裕ができるようになりました。

廃棄物を１００％再利用できれば、原理的に補給量はゼロになります。しかし、実際には再生できない分が存在します。例えば、空気再生システムでのCO_2はO_2へと変換されますが、その反応過程（サバチエ反応）で生成するメタン（CH_4）は使い道がなく廃棄されます。他にも有害なガスを分解したあとの生成物が生活するうえですぐに使える物質ではないため、これらも廃棄対象となります。廃棄した体積分の空気については、船内の気圧を一定に維持するためにも新たに補給・補充する必要があります。

③　自立型ＥＣＬＳＳ

スペース・コロニーを作るうえで最終的な目標とされるのが、この自立型ＥＣＬＳＳです。これは資源（空気、水、食料）を地球に依存しないＥＣＬＳＳとなり、地球から遠く離れて自在な有人ミッションが可能となる理想的なものです。図６－１に示したＥＣＬＳＳのシステム構成例で、廃棄物処理系にあたる食品廃棄物や便は、現在の技術ではリサイクルが困難であり、これらでさえも有用物などへ変換しリサイクル活用していく新技術の開発が望まれています。

6-2 ISSの空気系サブシステム

空気環境要求

ISS内では、地上と同じO_2/N_2の空気で1気圧に維持されることが求められます。また、それは快適な温度・湿度に保たれている必要があります。搭乗員の呼吸するO_2は常に補充される必要があり、排出されるCO_2や、微量ではありますが多種類にわたる有害ガス(TC:Trace Contaminants)は、適切な濃度以下になるように除去されなければなりません。

宇宙空間の無重量環境では、自然対流は起こりません。そのため搭乗員の口元にいつでも新鮮な空気が届くように、空気はファンで強制的に循環されます。空気の成分が常に一様に混じり合うように空気に対する風速要求が設定されています。

次の表6-1は、ISS内での空気環境として設定されているものです。

空気系サブシステムの構成

空気系サブシステムの構成概要を図6－3に示します。ＩＳＳのＥＣＬＳＳ空気系は、米国モジュールのＥＣＬＳＳ空気系と、ロシアモジュールのＥＣＬＳＳ空気系で構成されています。米国モジュールのＥＣＬＳＳ空気系は米国クルー3人分の生命維持機能を提供し、ロシアモジュールのＥＣＬＳＳ空気系では、ロシアクルー3人分の生命維持機能を提供する役割分担になっています。また、どちらかに不具合などの緊急事態が起きたときには、それぞれの機能を相互融通するようになっています。日本人搭乗員は、米国クルーとしてカウントされます。

日本モジュール「きぼう」はどうなっているのでしょうか。「きぼう」に設置されているＥＣＬＳＳ

	ノミナル	最小許容値	最大許容値
圧力	0.953-1.013気圧	0.645気圧	1.020気圧
ppN_2	―	―	0.789気圧
ppO_2	0.192-0.234気圧 ―	0.158気圧 0.161気圧	濃度24.1%
$ppCO_2$	―	―	0.0070気圧 0.0053気圧
TCガス		―	NH_3: 3ppm CO: 15ppm
温度	18.3-26.7℃		
湿度	25-75%		
風速	7.6-20.3cm/s		

表6－1　ISSの空気環境要求

機能は、空調のみを行っており、他のＥＣＬＳＳ機能は、すべて米国モジュールから提供されています。

キャビン圧力（全圧）

ＩＳＳなどの船内の空気圧力（全圧といいます）は、標準1気圧で０・９５３～１・０１３気圧に維持されています。実は、船内の空気はわずかずつ漏れて減少しているのです。そこでN_2ガスまたは、空気を補充することでこの全圧を制御しています。ちなみにＩＳＳ全体での、空気の漏れ量は０・３６３kg／日程度です。

N_2や空気は、補給船（ロシアのプログレス、ＥＳＡのＡＴＶ：Automated Transfer Vehicle［現在は引退しています］）によって補充されます。こ

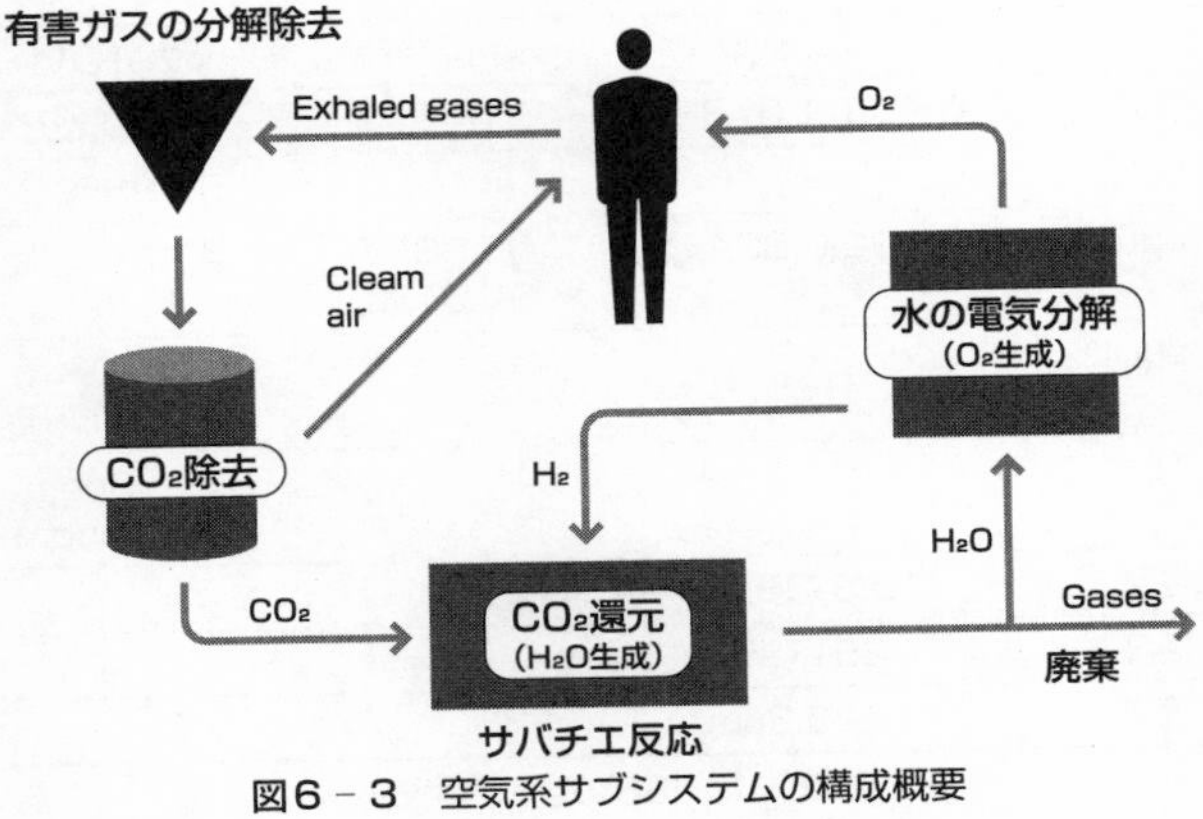

図6－3　空気系サブシステムの構成概要

のとき補給船のタンクから、直接ＩＳＳ船内に放出されます。この補給には、補給船の推進剤タンクの加圧用N_2ガスも利用されています。ただ、日本のＨＴＶ輸送機は、このN_2や空気の運搬はしていません。

N_2分圧の上限は、ロシアの船外活動（ＥＶＡ）時の宇宙服着用前の脱N_2（宇宙服内の気圧が低いため減圧症〈潜水病〉を防ぐために徐々に圧力を下げること）時間の制約から０・７８９気圧と、地上よりも低めに設定されています。また、N_2の最低貯蔵量は、「きぼう」が完全に減圧したときの再加圧用ガスとして１０６kgとされています。

酸素（O_2）

ＩＳＳでのO_2分圧は、生理学的要求から１４６～１７８（mmHg）の間に維持制御されています。分圧とは、混合気体において、あるひとつの物質が混合気体と同じ体積を占めたときの圧力をいいます。さて、O_2分圧の最小許容値は、低酸素症防止の観点から１２０（mmHg）に、最大許容値は火災の危険性を防止するためにO_2濃度24・１％と設定されています。この24・１％は、ＩＳＳに使用されている材料の燃焼試験認証基準です。

ＩＳＳにおいてO_2は、以下の方法で供給されています。

① 酸素製造装置

ＩＳＳでは、米国の「ＯＧＡ（Oxygen Generator Assembly）」、ロシアの「エレクトロン」と２つの酸素製造装置を持っています。これらは、いずれも水を電気分解してO_2を生成する装置です。

② 補給船のO_2タンク、または空気タンク

先ほども少し紹介しましたが、ロシアのプログレス輸送船、ＥＳＡのＡＴＶ輸送船のタンクに貯蔵されているO_2、または空気を、直接ＩＳＳ内部に放出する方法があります。これは輸送船がアンドック（ＩＳＳから離れる）前に使い切ってしまう必要があるためです。

③ キャンドル

過塩素酸カリウムなどの固体燃料を熱分解することによってO_2を発生させる方法もあります。これはバックアップ用のO_2生成装置で、ふだんは用いられませんが、O_2分圧が０・１５８気圧以下になると使用されるもので「キャンドル」と呼ばれます。

④　エアロックのO_2タンク

宇宙飛行士が船外活動（ＥＶＡ）を行う際には、エアロックとよばれる宇宙に解放される区画から船外に出入りします。このエアロックに存在する空気は、そのまま宇宙に放出されます。そのため、船外活動後に宇宙飛行士が宇宙船内に戻るときには、このエアロックを再加圧しなければなりません。そのときに使用されるものがこのO_2タンクです。O_2の最小貯蔵量として２６６kgのリザーブ量が必要とされており、その内訳は以下のとおりです。

- クルーの代謝消費量45日分（１１５kg）
- 緊急医療吸入器72時間分（68kg）
- 緊急ＥＶＡ４回分（45kg）
- 「きぼう」再加圧用（38kg）

二酸化炭素（CO_2）

次に忘れてはいけないのが、二酸化炭素です。ＩＳＳ船内のCO_2濃度の許容値は、０・０

０７気圧（7,000ppm）に設定されています。これは地上での許容値に比べて高く設定されていますが、実は、潜水艦内での許容値よりは低いレベルなのです。

ＩＳＳでは、数年前に搭乗員から「ときどき息苦しくなることがある」との報告がありました。この原因はCO_2だと特定されたわけではありませんが、現在、ＩＳＳの運用では、CO_2濃度（分圧）が０・００５３気圧以下になるように制御されています。

人が一日に発生させる二酸化炭素の量は、１０００ｇ程度です。これを除去するために、以下の方法がとられています。

① 吸着剤（非再生）

CO_2の除去には、CO_2を吸着する物質が使用されます。非再生型の吸着剤では、吸着筒キャニスタ（円筒形の容器）に充塡（じゅうてん）した吸着剤でCO_2を吸着し、その許容量を超えたところで、吸着筒ごと交換廃棄する、いわば使い捨てのCO_2除去方法があります。このとき吸着剤には水酸化リチウム（LiOH）を用いています。これまでスペースシャトルも含め、期間の短い有人宇宙船でのミッションには、この方法が使用されてきました。ＩＳＳにも、この水酸化リチウムを用いたCO_2除去装置が積まれていますが、これはバックアップ用のものです。除去能力として、搭乗員６人の14日分のＣO_2を除去できる吸着筒キャニスタが搭載されています。

また、ロシアの初期の宇宙船では、水酸化カリウム（KOH）を吸着剤として使用していましたが、これはO_2発生剤として使用していた酸化カリウム（K_2O）の副生成物である、水酸化カリウムをＣO_2吸着剤として有効利用しようというものでした。しかし、現在では、酸化カリウムK_2Oは使われておらず、ロシアも吸着剤には水酸化リチウムを使用しています。

②　再生型ＣO_2除去装置

ＩＳＳには、米国のＣＤＲＡ（Carbon Dioxide Removal Assembly）、ロシアのボズークと呼ばれる再生型のＣO_2除去装置が、それぞれ2式ずつ設置されています。これはＣO_2の吸着と脱着を繰り返す装置です。ＣO_2を吸着した吸着剤を、減圧・加熱してＣO_2を脱着することでＣO_2を除去します。吸着剤にはゼオライトという物質が使用されており、この吸着剤は繰り返し使用することができるため、非再生型の吸着剤に比べ、消耗品（吸着剤）の大幅削減になります。

二酸化炭素の再利用（CO_2還元）

再生型CO_2除去装置で除去されたCO_2は、その後、どうなるのでしょうか。実は、船外に廃棄される仕組みになっています。しかし、このCO_2の有効利用も進められています。具体的には、「サバチエ」とよばれるCO_2還元装置をＩＳＳに搭載し、試験的な運用を行っています。これは、CO_2をH_2で還元することによって、水を生成するという方法です。

$$CO_2 + 4H_2 \rightarrow CH_4 + 2H_2O$$

この方法はＩＳＳで最近、試験的に運用されているものです。この反応に使われる水素は、酸素を作るために水を電気分解した際に生成される水素を使用できます。これまで水の電気分解で発生する水素は、爆発の危険があるため船外に放出されてきました。そのため水素も廃棄物を利用しているのです。「サバチエ」はＩＳＳ軌道上での2年間の運用（間欠運転）で、これまでに３７０リットル程度の水を生成しています。

CO_2還元という方法は、再生型ＥＣＬＳＳの重要な構成要素となるもので、今後の有人長期ミッションでは欠かすことのできない技術の一つなのです。

微量有害ガス（TC：Trace Contaminant）

先ほど少しふれましたが、船内の空気には、微量の有害ガスが存在します。その濃度の許容値は、「船内最大許容濃度」として、SMAC（Spacecraft Maximum Allowable Concentrations）というISS固有の値が規定されています。このSMAC値は、飛行士が有毒ガスにさらされる期間に応じて許容値が設定され、曝露期間が長くなるとSMAC値は小さくなります。

有毒ガスの主要な成分と曝露期間30日以上に対するSMAC値を以下に示します。

アンモニア（NH_3）　3ppm
一酸化炭素（CO）　15ppm
メタン（CH_4）　5300ppm
水素（H_2）　4000ppm

ISSには微量ガス除去装置として、米国の微量汚染物質管理システム・TCCS（Trace Contaminants Control System）、とロシアのBMPが、それぞれ一式設置されています。微量ガスの除去には、活性炭吸着を基本としていますが、活性炭で吸着除去できない成分は、活性炭表面に特殊なコーティングを施したり、他の物質と組み合わせることで特定の物質（上記で吸着除去できなかった成分）の吸着性能を向上させたりした機能性活性炭、加温したガスを高活性の触媒上に流通させることで効率的に酸化分解する触媒酸化装置を用いて除去しています。

これらの装置は「月軌道プラットフォーム・ゲートウェイ」での実装に向けても研究開発が進められています。さらに、将来的には、完全再生型ＥＣＬＳＳ（自立型ＥＣＬＳＳ）を目標として技術改良などの研究が進められています。

温度・湿度（空気調和）

宇宙飛行士が快適に暮らせるように、ＩＳＳの内部は空気調和装置で、室温は18・3〜26・7℃、湿度は25〜75％に維持・制御されています。この空気は、先ほども紹介したように無重量状態でも成分が一様に混合されるように、風速要求7・6〜20・3㎝／ｓに設定されています。空気調和装置は、生活するための居住モジュールや実験研究を行う実験モジュールなどの主要なモジュールには個別に設置されていますが、各モジュール間の空気環境を一様にするために、ファンを用いてモジュール間の強制換気を行っています。

空気調和装置は、空気を床から吸い込み、冷却・除湿して天井から室内に吹き出します。冷却・除湿のプロセスでは、ヒトの「不感蒸泄（ふかんじょうせつ）」と呼ばれる発汗以外での皮膚や呼気からの水分喪失に起因する、大量の凝縮水が発生します。これらの凝縮水は、当初は船外にすべて廃棄していたのですが、後にISSに水再生装置（WPA：Water Processor Assembly）が搭載されると、これらの凝縮水から、飲用可能なきれいな水を生成できるようになり、地上からの水補給量の大幅な削減を可能にしました。

6-3　宇宙服のECLSS

宇宙飛行士の船外活動（EVA）などに用いられる宇宙服は、小型の1人用宇宙船だとみることもできます。そのため宇宙服の内部にも、その環境を生命維持可能なものとするために、小規模ながら一通りのECLSS機能が備えられています。船外活動の継続時間は、最大で7時間と短いため、宇宙服のECLSSは基本的に、先に紹介した消費型ECLSSが使われています。

宇宙服は、全圧が0・4気圧に設定されています。これは真空との気圧差が大きくなると、宇宙服の可撓性といわれる伸縮がしにくくなり、搭乗員の作業性が悪くなるからです。ぱんぱんに膨らんだ風船と少し余裕のある風船を想像してください。どちらが伸び縮みしやすいかといえば、やはり少し余裕のある風船です。それと同じように宇宙服も気圧は低めに設定されています。現在は、プレブリーズと呼ばれる、船外活動前に体内に溶け込んでいる窒素の排出が不要になるように、内圧0・58気圧以上の宇宙服の開発が進められています。

宇宙服の酸素は、高圧の酸素タンクから供給されます。これには船外活動中に必要とされる酸素の量に、30分の予備を持たせた量が入っています。

CO_2は、水酸化リチウム（LiOH）キャニスタによる吸着で除去します。現在では、再生できる吸着剤として金属酸化剤（METOX）も使用可能となっています。船外活動中にCO_2を吸着したMETOXは、ISS内で加熱されて船内の大気中に放出されますが、これはISSのCO_2除去装置で処理されます。

また、宇宙服内での微量有害ガス発生は、作業時間が短いため問題はありませんが、活性炭で吸着できるような仕組みがつけられています。

さらに、搭乗員から発生する汗や呼気などに含まれる水蒸気は、宇宙服内部の温湿度制御機器で凝縮水となり、サブリメーターとよばれる蒸発器で宇宙に排出されます。このとき、蒸発による気化熱を利用した冷却機能は、宇宙服内の冷却下着の排熱に利用されています。これは、宇宙飛行士自身が発する熱を体から効率よく逃がすことで、体温が上昇するのを防ぐ役割があります。

ＩＳＳは、初めての恒久的（連続的）な有人滞在ミッションです。そのため、それ以前に使われてきた短期間の有人ミッションにおける資源消費型ＥＣＬＳＳでは、補給物資量が大きくなりコストの増大が避けられません。これを解決するものが、資源を再利用する再生型ＥＣＬＳＳで、現在、ＩＳＳでは水の電気分解による酸素生成装置、CO_2還元装置、凝縮水再生装置、尿処理装置などの、水や空気の再生装置を搭載して技術検証を行っています。この技術の確立は、有人火星探査など、今後計画されている長期有人ミッションの実現には、必要不可欠な最優先の課題のひとつなのです。

6-4　光触媒

光触媒機能

　環境の浄化・再生のために用いられる技術として重要なものが「光触媒」とよばれるものです。この光触媒技術は、日本が世界をリードする科学技術の一分野なのです。これは宇宙での活用だけでなく、エネルギーや環境問題を解決する切り札としても、将来性が非常に期待されている技術でもあります。

　光触媒の仕組みについては、この後で詳しく説明しますが、現在、主に使用されている光触媒として「酸化チタン（TiO_2）」が挙げられます。これは光の照射によって「酸化分解力」と

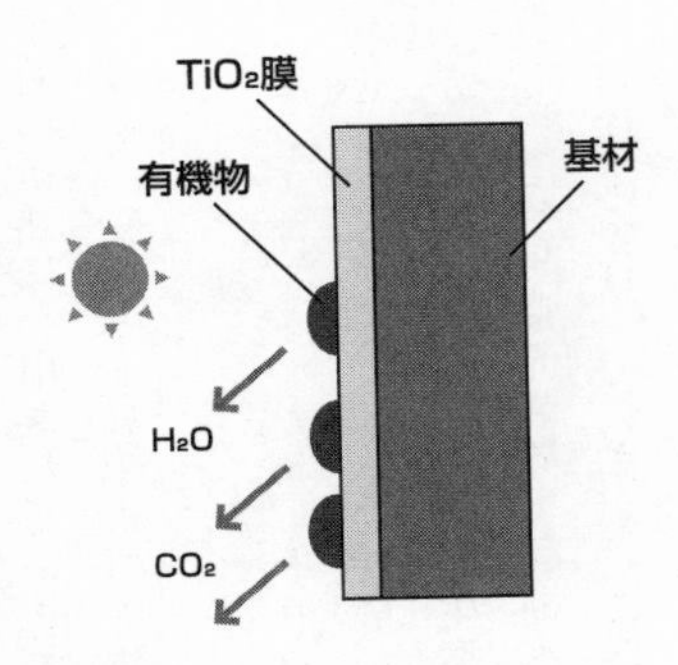

図6－4(a)　酸化チタンの酸化分解力

「超親水性」の2つの機能が発現する性質を持っています。

詳しい仕組みは、図6－5で説明しますが、「酸化分解力」は、消臭、抗菌などに応用することができ、「超親水性」はくもり止めや防汚（セルフクリーニング効果）などに応用されており、さまざまな製品が販売されています。近年の光触媒に関する技術は、住宅関連分野、浄化機器分野、生活・医療分野を中心に応用展開され、光触媒評価の標準化（ＩＳＯ）に関する国際協調事業も進められているなど、進展し続けています。

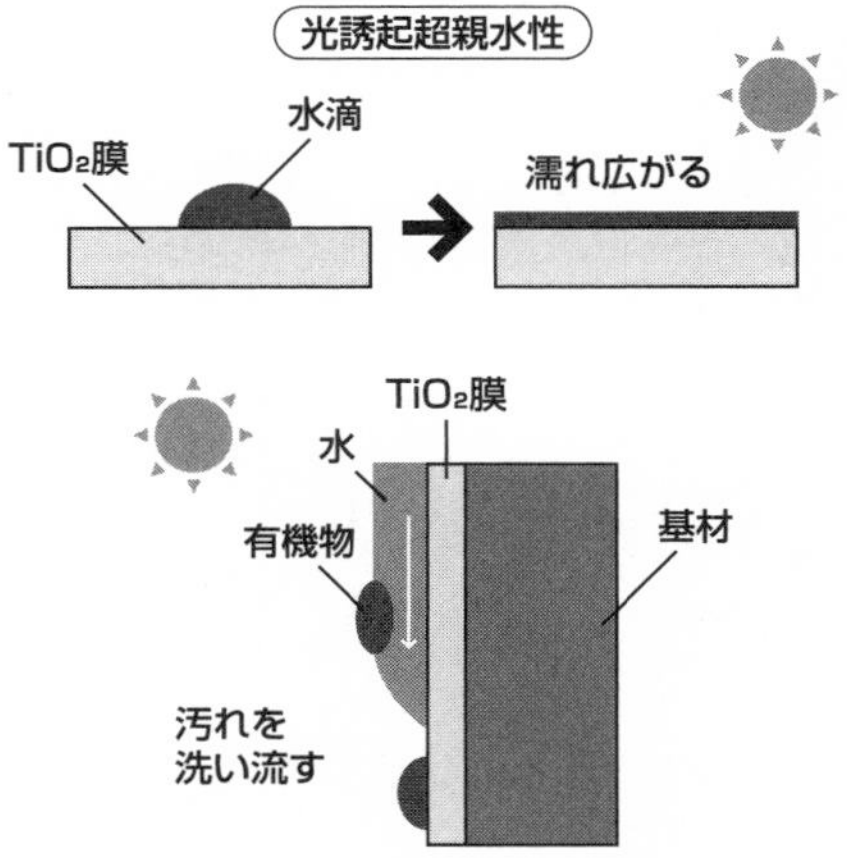

光触媒の仕組み

代表的な光触媒材料である酸化チタンを例にして光触媒の仕組みを簡単に説明します。

図6－4(b)　酸化チタンの超親水性

半導体の仕組みについては第5章でも紹介しましたが、酸化チタンの光触媒能は、図6－5にあるように半導体のエネルギー構造（バンド構造）によって説明できます。

物質は固有のエネルギー状態を持っています。電子は光などのエネルギーを受け取ると、より高いエネルギー準位に移る性質があります。図6－5のように、電子のエネルギー準位は価電子帯、伝導帯からなるバンド構造をとっています。この差のことをバンドギャップといいます。このとき、バンドギャップ以上のエネルギーを持つ光を受けると、価電子帯にあった電子がエネルギー準位の高い伝導帯に移ります。これを電子が励起（れいき）されるといいます。電子が励起され、伝導帯に移る

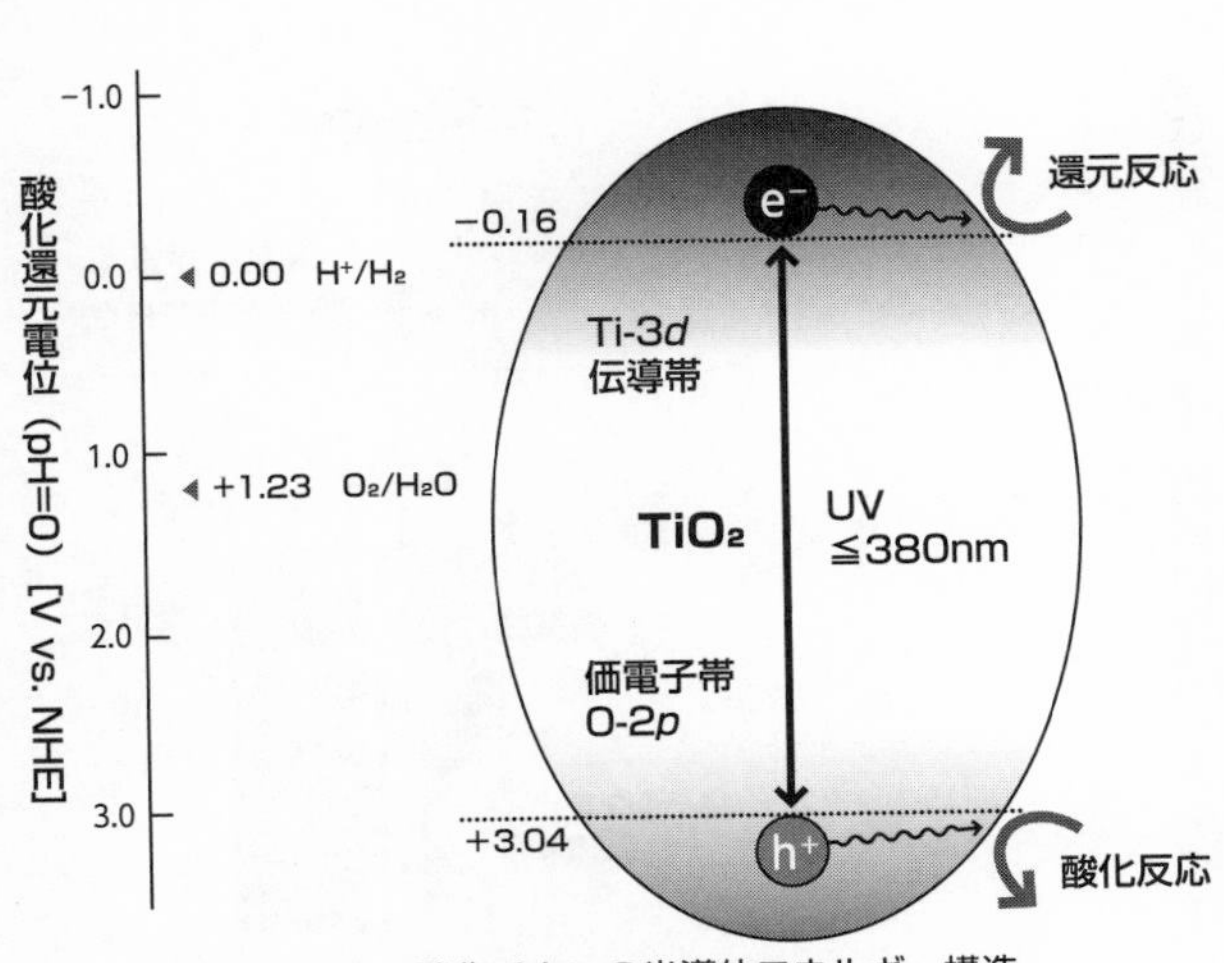

図6－5　酸化チタンの半導体エネルギー構造

と、価電子帯には電子の抜け殻である正孔（h^{+}）が、伝導帯には電子（e^{-}）が生じます。こうしてできた電子と正孔は、一部が再結合して熱や光を発し、一部が表面に移動して表面反応を起こします。このとき起こる表面反応が「光触媒反応」とよばれるものです。光触媒反応において、生成した光励起電子のエネルギー準位が高いほど、高い還元力を持ち、正孔のエネルギー準位が低いほど、高い酸化力を発現する特徴があります。

酸化チタンでは、光のエネルギーによって水の光分解が起こります。これは発見者にちなんで「本多－藤嶋効果」とよばれています。酸化チタンに、バンドギャップに相当する380nm（ナノメートル）以下の波長の紫外光を照射すると、電子の励起により内部に電子と正孔が生成し、酸化チタンと水との界面に生じるバンドの曲がり（電位差）により、電子の一部が酸化チタン内部から対極に移動して水素を発生させます。また、正孔の一部は酸化チタン表面に移動して水を酸化し、酸素を発生させるという現象が起こります。

一方、大気中での光照射により生じた電子と正孔は、それらの一部が表面の気体分子の吸着などにより生じるバンドの曲がりによって、再結合することなく酸化チタン表面に移動します。この電子と正孔は表面の水や酸素と反応して$OH^{\cdot}$、$O_2^{\cdot}$、$OH_2^{\cdot}$などのラジカルとよばれる不対電子をもつ原子や分子を生成し、これらのラジカルは、極めて強い酸化力を有するため汚れやバクテリアを構成する、ほとんどすべての有機物を分解することができます。

この一連の反応は触媒反応であり、酸化チタンは紫外光照射さえあれば一切消耗することなく半永久的にこの効果を発現することができるのです。薄膜状にした酸化チタン表面に紫外光照射すると、活性酸素が次々と生成・拡散し、付着した有機物や吸着したガスを酸化分解します。

この反応を利用して、酸化チタンを種々の材料にコーティングし、抗菌、汚れ分解、脱臭、水洗浄などの機能を付与することが可能となります。

光触媒を用いた水処理と空気浄化の研究では、光触媒材料として先ほど紹介した酸化チタン（TiO_2）を使ったものが多く、これは酸化チタンが、化学的に安定で、人体に対しても無害であること、さらに安価であることから、実用化できると考えられているからです。その他に、酸化チタン以外の材料で酸化亜鉛（ZnO）を使った研究も多くありますが、水中での安定性に欠けるため、実用化するためにはまだ多くの課題があります。

前述したように、酸化チタン光触媒反応では、強い酸化力を有するラジカル（活性酸素など）が生成され、難分解性化学物質や紫外光殺菌技術では対処できない微生物を死滅させることも可能です。

ただし、光触媒反応は、反応物質が光触媒の表面に接触して初めて起こる「表面反応」のため、3次元空間に漂う物質を2次元平面の上で分解しなければなりません。また、光触媒が吸収できる光子数以上の分解性能は発揮されないため、大量の物質を一度に分解することには向いていないともいえます。

光触媒を用いた水処理の場合、分解対象物質の分解効率は、光触媒量、光の強度、水温、溶存酸素量に影響を受けます。そのため、水処理や空気浄化に利用するには工夫が必要となります。まずひとつは、表面積を大きくし、効率を上げる方法があります。そこで、酸化チタンでは、表面積、細孔径、気孔構造、結晶相を制御した球、ロッド、ファイバー、チューブ、シートといった構造体を合成する研究が行われており、これらは水処理の効率に影響することがわかっています。なかでも微粒子化（ナノ粒子化）した酸化チタンを、水中に分散・浮遊させることで高効率な水処理が達成できることもわかりました。ただ、ナノ粒子は凝集する傾向があり、そのため実際の反応に使われる表面積は小さくなる特徴もあります。また水処理プロセスによっては、粒子が分離膜等の細孔上に堆積する、または細孔内に詰まり膜ファウリングといわれる分離対象物質が膜の表面や細孔内に付着・堆積する現象を引き起こしてしまうことも知られています。酸化チタンは化学的に安定しているため、薬液洗浄では、このファウリングは解消されず、物理的に取り除く、または膜自体を交換する必要があります。また、ナノ粒子の分離・回収（固液分離）と再利用する方法について結論は出ておらず、実用化へ向けての技術的な課題となっています。

現在、この問題の解決のために、ナノ粒子を固体表面へコーティングして固定化する方法が研究されています。固定化により分離・回収および再利用が容易となりますが、反応に使われる表面積の低下と光触媒表面までの分解対象物質の輸送が遅くなるということも技術的にクリアしなければならない問題です。酸化チタン粒子を固定化した場合の水処理効率は、粒子を分散・懸濁（けんだく）させた場合に比べて桁違いに減少することが報告されています。また、連続的貫通孔を持つ三次元構造体（モノリス構造）の酸化チタンを作製し、高い強度・表面積を有し、モノリス構造体の骨格中を有機物のような微粒子が効率的に拡散できるようにすることで、分解効率を向上

写真6－1

させることができるという報告もあります（図6－6）。また、入射した光がその複雑な細孔によって散乱することで光を有効活用でき、構造体表面に難分解性の汚れが付着した際も、表面を削り取ることで再利用が可能になります。さらに大きさ数cmの固体であるため、固液分離が容易で、これは水処理用の光触媒として有望であると考えられています。

一方、固体物質が液体中に分散している懸濁状態にある酸化チタン（TiO_2）ナノ粒子は高い光触媒活性を持ちますが、溶液からの分離回収は容易ではありません。しかしながら、高い光触媒活性を維持しつつ、吸着能を有するマイクロ粒子と組み合わせることで、容易に分離回収できる分散型TiO_2を合成し、これまでに見てきた固定化された酸化チタン光触媒と比べると、極めて高い水処理効率を実現できることがわかりました。

分散型TiO_2は、マイクロ粒子となるゼオライト（HY type, Si/Al比＝15）の表面にTiO_2ナノ粒子を担持（触媒物質が載ってい

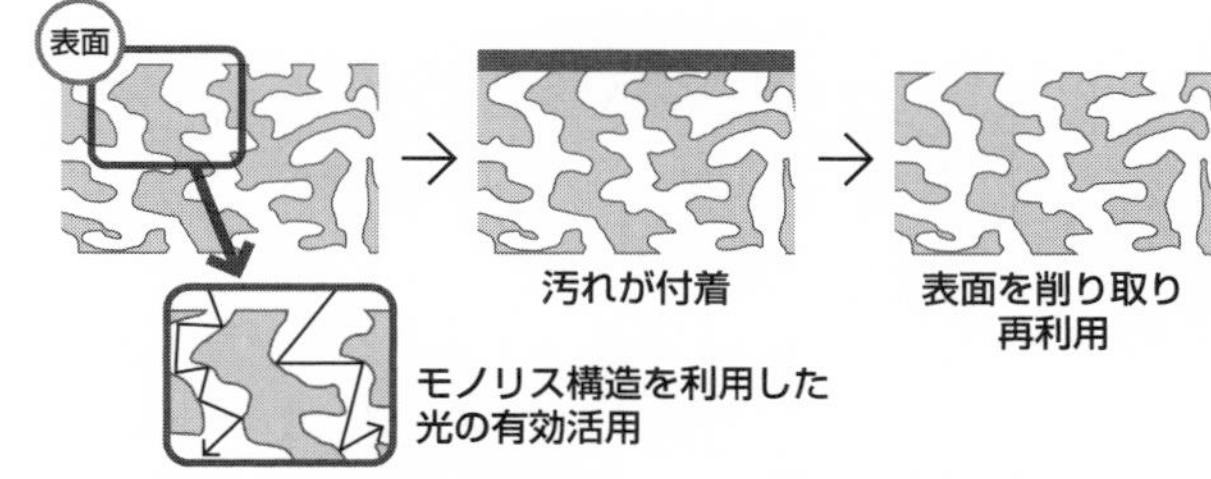

図6－6　三次元構造体（モノリス構造）の酸化チタン

る状態）したもので、その粒子径は膜の細孔径よりも十分大きいため目詰まりを抑制することができ、かつ水よりも比重が大きいため攪拌(かくはん)を止めると数分間で自然に沈降します。この光触媒を用いた水処理技術はすでに実用化されており、分解対象物質の濃度がｐｐｍ（＝㎎／L）のオーダーであれば、太陽光レベルの光強度でも10分程度で処理できることが報告されています。

次に、他の材料と組み合わせることで、光触媒としての反応性を向上させる、または分解対象物質を光触媒の表面に輸送する方法もあります。前者には、最近のトレンドとしてグラフェン、または酸化グラフェンとの組み合わせによるものが多く報告されています。いずれも分解対象物質の吸着材となっているだけではなく、光触媒の伝導帯から光励起電子を受け取り、正孔との再結合を抑制することで活性を向上させています。後者は、粘土鉱物に代表される多孔質材料との組み合わせで、これは昔から研究されていたものです。前述したゼオライトとの組み合わせも、その一例となります。粘土鉱物は地殻に多く存在するため安価であり、地域によって化学組成や性質が異なるものの、分解対象物質を吸着して光触媒表面に輸送できるため、水処理や空気浄化の効率を向上させることができます。

現在、スペース・コロニー研究センターでは、この研究において、比表面積の大きな基材（吸着材）へ光触媒微粒子を担持させることで、空気中に漂う分解対象物質を光触媒の近くに吸着させ、光触媒反応による分解を試みています。

試料は、ガラスファイバークロスを基材として、表面に酸化チタン（TiO_2）光触媒を担持させることで作製しています。

図6－7は、一つはガラスファイバークロスを何も処理することなく、その表面にTiO_2光触媒を担持させた試料、もう一つはガラスファイバークロスを酸処理することで、ガラス中のアルカリ成分を溶出させて多孔質化し、表面積を大きくした後、その表面にTiO_2光触媒を担持させたものを比較した結果です。グラフは、光照射時間に対する2－プロパノール、分解中間生成物であるアセトン、そして最終生成物となる二酸化炭素（CO_2）の濃度変化を表しています。未処理の試料では、2－プロパノールの減少とともにCO_2が増加しており、2－プロパノールが光触媒によって酸化分解されていること

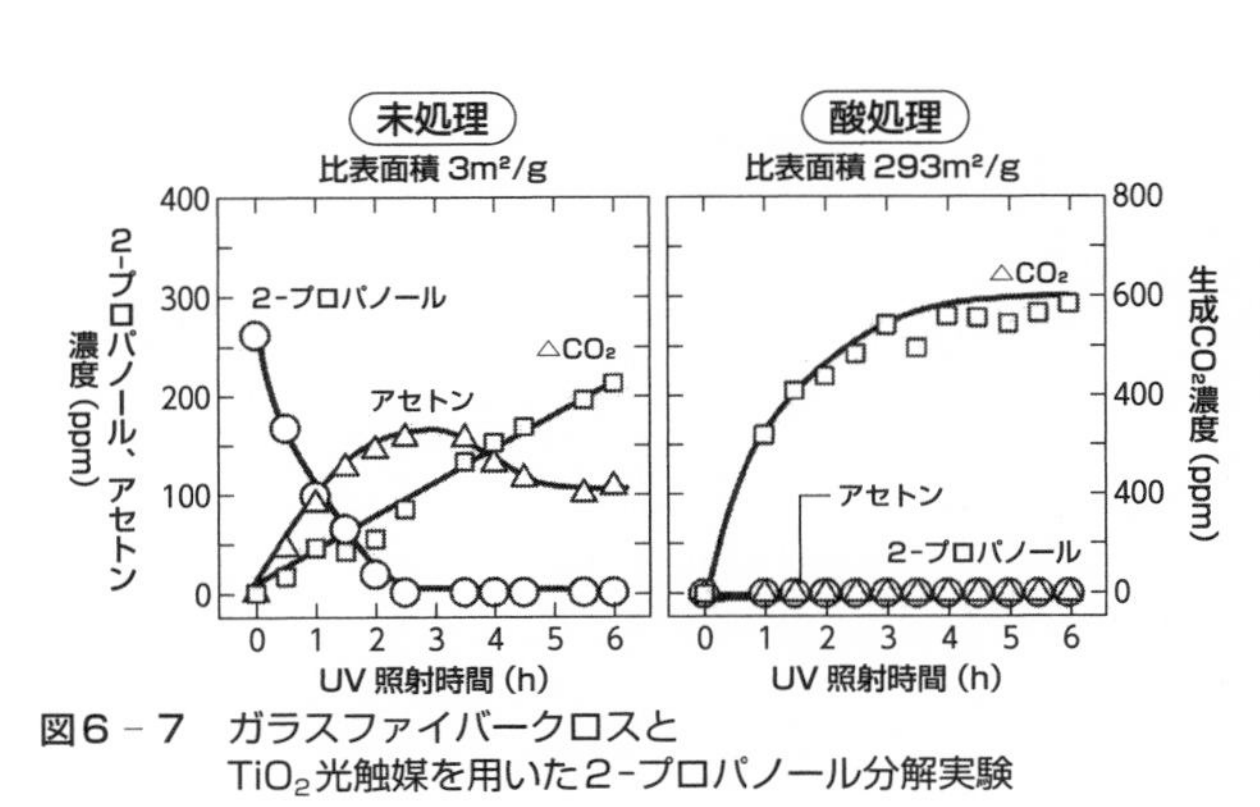

図6－7　ガラスファイバークロスとTiO_2光触媒を用いた2-プロパノール分解実験

がわかります。しかしながら、分解中間生成物であるアセトンも大量に生成しています。一方、酸処理した試料では、比表面積が大きいことで2－プロパノールがガラスファイバークロス表面に吸着しており、初期から濃度がほぼゼロとなり、光照射を行ってもゼロの状態が維持されました。

そして、分解生成物としてはCO_2のみが測定され、光照射時間とともに濃度は増加しています。特筆すべき点は、分解中間生成物であるアセトンが放出されなかったことです。アセトンは、酸処理によって多孔質化されたガラスファイバークロス表面に吸着され、大気に放出されることなく光触媒によってCO_2に分解されたと考えています。ＩＳＳのような宇宙空間の閉鎖環境下においては、有害ガスの分解を行うさいに、分解中間生成物も有害性のガスとなる可能性があるため、今回のような分解中間生成物を放出することなくCO_2まで分解できることは大変、重要な結果だといえます。

ＩＳＳの中では、およそ20種の細菌類、10種の真菌類が存在し、またその多くがバイオフィルム（菌膜）と呼ばれる固体や液体の表面に付着・集合した膜を形成していることが報告されています。

バイオフィルムは形成してしまうと除去することが大変難しいため、形成する前に殺菌することが大事です。光触媒による抗菌は、20年前から研究が行われていますが、そのほとんどは光触媒膜表面上にいる菌に対して殺菌できたことを示すものでした。そこで、スペース・コロニー研究センターでは、光触媒反応を使うことで殺菌剤を合成できることを明らかにし、さらにＩＳＳにおいては使用用途がなく廃棄予定のメタン（CH_4）から強い酸化力を持つ過ギ酸（HC(O)OOH）を作り、カビの殺菌に成功しています（図6－8）。この技術は、必要なときに必要な量の殺菌剤を作ることができるため、ＩＳＳ等での実用化ができるのではと期待されています。

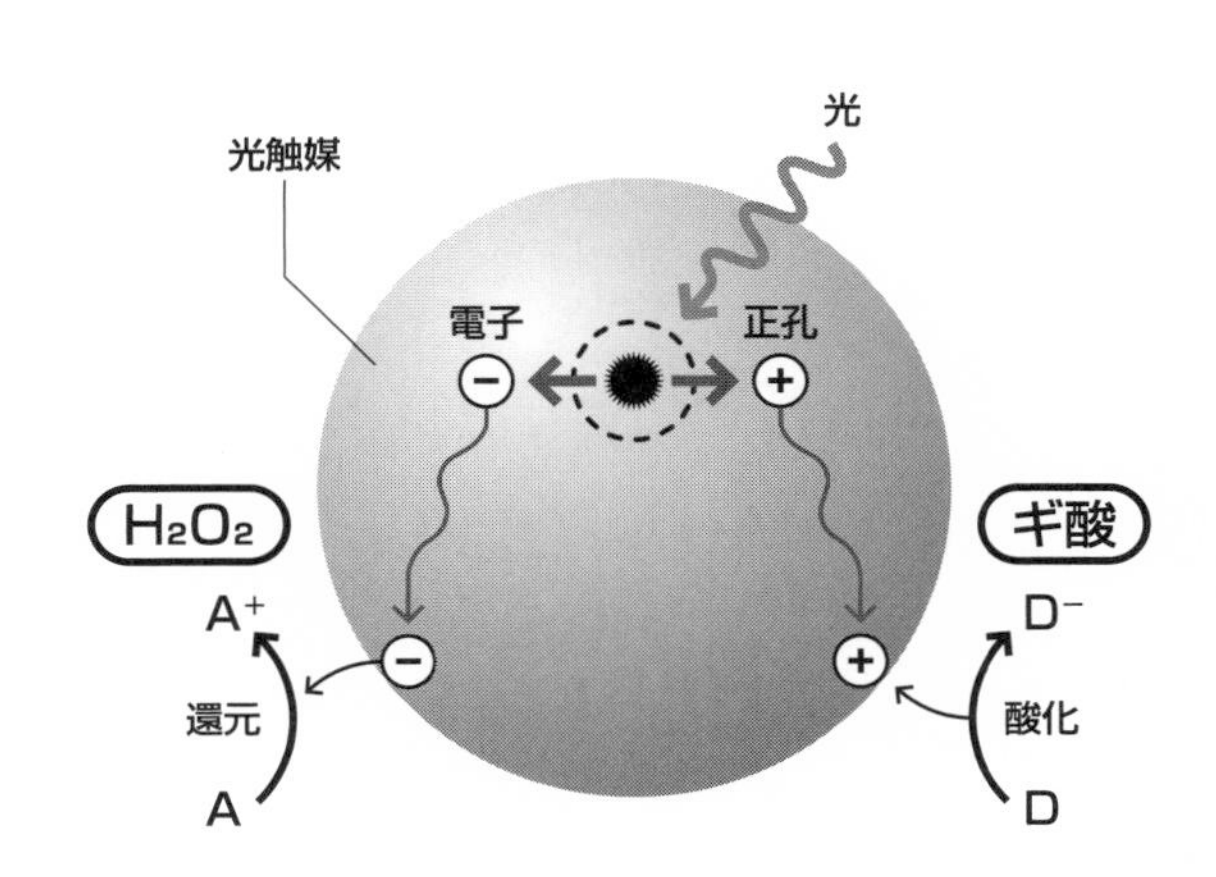

$$H_2O_2 + HCOOH \rightarrow HC(O)OOH + H_2O$$

過ギ酸（殺菌剤）

図6－8　光触媒を用いたメタンからの殺菌剤生成

おわりに
——人類の未来に向けて

21世紀に入って、一般家庭へのインターネットの普及やLCC（低価格航空会社）などによる交通手段の多様化が進み、さらに、2020年には新型コロナウイルスによってZoomに代表されるようなオンライン・ミーティングなどが一般化された結果、社会・文化のグローバル化と日常生活の情報化には一層拍車がかかりました。

一方で、大量生産・大量消費による廃棄物の氾濫やエネルギー消費の増大は、地球レベルの環境問題として人類に重くのしかかってきています。

国際連合は2015年、このような社会背景のもと、人々の生活と地球環境を守るために「持続可能な開発目標（SDGs）」として、2030年までの達成を目指して、17のゴールと169のターゲットを設定しました。これに対して日本政府も「SDGsアクションプラン2020」を策定し、2030年までの達成を目指しています。

この日本政府のSDGsアクションプランの中から、スペース・コロニー研究センターが進めている、スペース・コロニー研究と関係のありそうな課題を抽出してみます。

実は、これまでの章で見てきた技術は、日本が提言し、進めようとしている技術開発と呼応しているものなのです。

（1）研究開発成果の社会実装化促進
（2）バイオ戦略の推進による持続可能な循環型社会の実現（バイオエコノミー）
（3）スマート農林水産業の推進
（4）防災・減災、国土強靭化の推進、エネルギーインフラ強化やグリーンインフラの推進
（5）質の高いインフラの推進

本書の冒頭でもふれたように、スペース・コロニー研究センターでは、一義的には人類が宇宙に滞在するための基盤技術の開発を目指しています。しかし、そこから得られた成果は、宇宙だけでなく地球での社会実装も、もうひとつの目標として掲げており、この双方向での開発をデュアル開発とよび、実現のために、人々の社会生活に密接した産業界との連携なども推進しています。

ＳＤＧｓアクションプランから抽出した上記の課題とスペース・コロニー研究との関連性に

ついて社会実装上の観点から、以下に紹介したいと思います。

(1) 研究開発成果の社会実装化促進

スペース・コロニー研究センターは、国内の企業と連携してさまざまな研究開発を進めており、連携する企業がもつ実用化・産業化のノウハウを活用して研究の成果を速やかに社会実装することを目指しています。

これまでに実用化された成果として第6章で取り上げた光触媒技術での例を挙げると、「ウイルス・病原菌・カビ・花粉・悪臭の原因物質やホルムアルデヒドなどを分解・除去する壁材」、「薬剤を使用しない蚊の捕獲機」、「汗のにおいを抑える繊維」などがあり、多様な形態で我々の社会生活に役立っています。

(2) バイオ戦略の推進による持続可能な循環型社会の実現（バイオエコノミー）

これまで見てきたように、人間が閉鎖環境の中で長期間滞在するためには、人体や装置類から排出されるＣO_2や有害なガスを除去する必要があります。従来の活性炭による吸着ではなく、高活性光触媒を用いてこれらのガスを完全に再生利用する方法を開発中で、この技術は、将来的には地球規模の空気の循環への適用も可能なのです。

(3) スマート農林水産業の推進

限られたスペースを利用して植物の栽培ができるようにするために、水耕栽培式の宇宙農場を提案しています。この水耕栽培式農業を行うためには、液体肥料を絶えず供給するとともに、栽培の妨げになる藻の発生を抑制する必要があります。これには、光触媒技術と水中プラズマ技術を併用することによって、水と空気だけから滅菌効果のある窒素肥料を培養水中に作り出すことができます。

この栽培方法は閉鎖空間を使用して行われるため、外部からの汚染などがなく衛生的にも優れているうえに病害虫による被害も防ぐことができます。また、この技術は緑地の砂漠化や人口の増加が進む地球上でも、さらには今後予想される深刻な食料問題の解決にも有効な対策となるでしょう。

(4) 防災・減災、国土強靭化の推進、エネルギーインフラ強化やグリーンインフラの推進

人類が宇宙という特殊な世界で長期間活動するためには、生存するために必要なエネルギーを現地の自然環境を利用して作り出すことが必要になります。そこで、地球からの輸送頼みの化石燃料に代わり、昼間は太陽光発電、また夜間は熱発電とフライホイールを組み合わせた創・蓄電技術による、宇宙に適した電力供給システムを開発中です。このシステムはCO_2を

発生しないうえに、リチウムなどの化学物質を含まないため、クリーンな電力源として一般社会への普及も期待されています。

(5) 質の高いインフラの推進

人間が閉鎖空間に長期間滞在するうえでは、宇宙という環境においても地上と同等の生活の質を維持することが極めて重要になります。これは身体的な問題だけでなく精神的安定を保つうえでも欠かせないものです。このため、スペースQOL（生活の質：Quality of Life）として、快適な生活環境をデザインする研究を進めています。

低重力、低気圧という特殊な環境下でも安全に、安心な生活を送れるようにするためにどうすればいいのか？　そのために低重力環境での火災シミュレーションや、ウェアラブル・デバイス（バイオセンサ）による健康状態の常時モニタリング、地球とつながるインターネットやゲーム機などのアミューズメント設備、好みの生活様式に合わせた居住空間のカスタマイズなども研究されています。

スペース・コロニー研究の主目的は、未知なる人類のフロンティアである月・火星といった極限的な閉鎖環境に、人間が長期間滞在するために必要な技術を開発することです。しかし、宇宙探査が主目的とはいえ、その成果は地上での生活の役に立ってはじめて研究の価値が認められるものだと考えています。

スペース・コロニー研究センターでは、その意味でも産業界との連携を積極的に進めています。民間企業に期待される役割は、開発した技術の社会実装、国土強靱化、食料問題の解決、および日本の宇宙産業の活性化など多岐にわたります。そのため、分野を限定することなく幅広い業種に参加を呼び掛けて、さまざまなテーマについての共同研究を立ち上げています。

東京理科大学が、外部との連携拡大のために行っている取り組みのひとつに、スペース・コロニー研究開発コンソーシアムという活動があります。これは、スペース・コロニー研究センターの活動を支えるために設立された任意団体で、産業界や外部機関との連携推進を担っています。具体的には、スペース・コロニー研究に関心のある法人や個人に会員になってもらい、宇宙関連の専門家による講演会やワークショップを開催して宇宙開発や先端研究などの情報を提供します。また今後は、スペース・コロニー研究センターの協力機関とコンソーシアム会員との間を仲立ちし、両者の共同研究の企画・調整なども行う計画です。

このような連携協力は国内だけでなく海外にも開かれており、スペース・コロニーに関わる共同研究の提案が、欧米や東南アジアの大学からもスペース・コロニー研究開発コンソーシアムに寄せられています。

ここで開発される、汚染された水・空気の浄化、クリーンエネルギーの供給、廃棄物の再資源化などの技術を実用化し、社会インフラとして整備することにより、安全で持続可能な社会の実現に役立てていくことができます。これらの循環型のシステム技術は、化石燃料や有害な物質への日常的な依存度を下げるのに役立つうえに、産業構造の変化をもたらし、新たな経済的価値の創出にもつながるものと期待されています。

スペース・コロニーの本当の役割とは

地球から月までの距離は約38万キロメートルで、これは地球1周の約10倍です。人類が初めて月に降り立ったアポロ計画では、宇宙船はこの距離を3日かからずに移動しています。現在でも、例えば日本から地球の反対側のブラジルに行くためには1日近くかかることを考えると、時間的にいえば月は意外に近い場所であると感じられます。

これまで述べてきたように、人類が宇宙に進出するためには、まだまだ、さまざまな課題を克服する必要があります。

しかしながら、我々の知恵と創造力を駆使すれば、いずれの課題も解決は困難なことではありません。むしろ、いちばんの課題は、月や火星に到達したあとに、何をするのかということなのかもしれません。過去のSF映画やTVドラマでは、スペース・コロニーを主題にしたものだけでも数多くの話が作られており、これらの物語には、さまざまな示唆に富むものが多くあります。なかでも「機動戦士ガンダム」は、宇宙に住む人類の未来を予見しているようでもあります。もちろん宇宙での戦闘は、現実的ではありませんが、作中に描かれる月面都市は、我々のスペース・コロニー研究においても目指すところであり、本書で紹介したように、居住環境の構築や地球との交通手段の整備はすぐにも着手が可能なものとなっています。

一方、世界の宇宙機関が月や火星探査の目的として現在掲げているのは、科学的なミッションがほとんどであり、その先の話ということになるとSFの想像力には到底およばないことも事実です。

世の中の若い世代が、自分の足元を見据えて日々の生活の充実を図っていくことは、もちろん大事ですが、一方で、地球という縛りを超えて自分の可能性を伸ばしていける豊かな未来が描けるとすればさらに幸せなことではないでしょうか。

本書の読者（とくに若い人たち）にはぜひ、月や火星に行けるようになった暁に、そこで何をしたいか、またスペース・コロニーのどんな利用の仕方があるかについて考えてほしいと思います。

例えば、アーサー・C・クラークの小説『神の鉄槌（The hammer of god）』の中では、惑星間オリンピック委員会なるものが存在し、登場人物ロバート・シンは第1回月面マラソンに出場します。また、日本の宇宙建築学サークルTNLは「Martian Yukigassen」と題する「火星の厳しい気象条件を活かした雪合戦が可能なスタジアム設計」で、Mars City Design Challenges 2019においてファイナリストに選出され、総合2位に輝きました。このMars City Design Challengesというのは、2016年から開催されている火星に都市を設計する国際コンペティションです。結果もさることながら「火星で雪合戦をする」というしなやかな発想に、心から敬意を表したいと思います。

皆さんはポケットベルという「メディア」をご存じでしょうか。

これは、1980年代に若者の間で、自分たちが自由にメッセージをやりとりできると大流行した通信「メディア」です。しかし、もともとポケットベルは、ビジネスマンが利用する物で、会社などで不在中に電話があったことを知らせるためのサービスでした。

このサービスにおいて、利用者が折り返しどこに電話をすればいいのかを伝えるために、12桁の電話番号を表示させるシステムが開発されました。ところが、このサービスの利用にかかる費用が安かったことに注目し、若者たちがこの12桁の数字でお互いにメッセージのやりとりを始めたのです。携帯電話は費用がかかり、若者たちには手の出せない高級品でしたが、数字を文字に対応づけることで、自分たちが自由に友達とつながれる通信メディアとして活用し始めたのです。

ポケットベルを開発した技術者は、おそらくこの12桁の電話番号を送れるという機能がこのような使われ方をするとは、つゆほども想像しなかったに違いないでしょう。

技術は世に放たれたときに、さまざまなアイデアによって、技術者が思いもよらなかった使われ方で大ブレイクすることがあります。これは、技術がもたらしたものによって生まれる新たな文化、とでも呼びうるものではないだろうかと思います。

宇宙空間は、今はまだ訓練を受けた限られた人しか行くことができない世界です。空中に玉のように浮かぶ水も、月平線に上る地球の出も、我々は理解することはできても、体験することはまだできません。しかし、ごく普通の人々が多数、宇宙で過ごす時代、そんな環境が当たり前になったとき、我々はどんな文化をそこに見ることになるのでしょうか。それは、技術者の想像を遥かに超えたものになるのではないかと思います。そしてそうした文化や新しい発想が、さらに技術を進めることになるでしょう。
「環境」について考えようとするとき、「環境」は常に複雑に絡み合った状態で我々のまわりに存在しています。我々はその複雑さに、時に驚嘆し、時に畏怖し、環境を理解しようと試みています。

宇宙空間はもともと、生命が漫然と存在することを許さない過酷な、そして何もない「環境」であるといえます。そこで継続的に生活していくためには、必要なものを我々自身の手で積み上げていくしかありません。これまでは、さまざまな環境への影響から「引き算」でそれを理解しようとしていたのに対し、宇宙への人類の進出を考えることは、「足し算」によって「環境」を理解する試みだということができるかもしれません。さらに、「環境」に対する別の視点からのアプローチは、人類に対して新たな考え方を与えてくれるものにもなるでしょう。これは「環境」だけでなく「コミュニティ」や「文化」などについてもいえるかもしれません。

宇宙において定常的な居住を実現しようとするとき、我々はさまざまな社会の要素を、まったくのゼロから作り上げる自由を与えられることになります。そのときによりよい社会を作ることができるとすれば、人類がよりよいものに進化するチャンスを与えられているとも考えられます。宇宙に挑戦することで、たんに技術だけではなく、社会や文化なども含め人類が変わっていける可能性は多岐にわたるものだと思います。

スペース・コロニーについて研究することは、まさに人類の新たな可能性について研究、模索していくことだと考えています。本書で見てきたように、スペース・コロニーは、たんなる夢物語ではなく、その実現への第一歩はすでに始まっているのです。

最後に、東京理科大学がスペース・コロニー研究センターを設置するにあたり、私立大学研究ブランディング事業により、文部科学省にご支援いただきました。ここに深く感謝して、結びの言葉に代えたいと思います。

執筆者一覧

監修・まえがき

向井千秋　東京理科大学特任副学長 兼 スペースシステム創造研究センター スペース・コロニーユニットユニット長

第1章

木村真一　東京理科大学理工学部電気電子情報工学科教授 兼 スペースシステム創造研究センター センター長 兼 教育ユニット長

中村　泰　東京理科大学スペースシステム創造研究センター センター長補佐

第2章

中村　泰　（第1章に同じ）

第3章

木村真一　（第1章に同じ）

四反田功　東京理科大学理工学部先端化学科准教授

第4章

寺島千晶　東京理科大学理工学部先端化学科教授 兼 スペースシステム創造研究センター 光触媒国際ユニット ユニット長

後藤英司　千葉大学大学院園芸学研究科教授

手嶋勝弥　信州大学工学部物質化学科教授 兼 先鋭材料研究所所長

布施哲人　国立研究開発法人宇宙航空研究開発機構宇宙探査イノベーションハブ主任研究開発員

執筆者一覧

間宮幹士　キリンホールディングス株式会社R&D本部キリン中央研究所
関　光雄　竹中工務店技術研究所未来・先端研究部　高度空間制御グループ

第5章
杉山　睦　東京理科大学理工学部電気電子情報工学科教授　兼　スペースシステム創造研究センター　副センター長
飯田　努　東京理科大学先進工学部マテリアル創成工学科教授
小柳　潤　東京理科大学先進工学部マテリアル創成工学科教授

第6章
下田隆信　元国立研究開発法人宇宙航空研究開発機構有人宇宙ミッション本部有人宇宙技術センター
勝又健一　東京理科大学先進工学部マテリアル創成工学科准教授
酒井秀樹　東京理科大学理工学部先端化学科教授

おわりに
中村　泰　（第1章に同じ）
木村真一　（第1章に同じ）

Electrode" K. Honda and A. Fujishima, *Nature*, 238:37-38, 1972
4) "Multi-drug resistant *Enterobacter bugandensis* species isolated from the International Space Station and comparative genomic analyses with human pathogenic strains", N. K. Singh, D. Bezdan, A. C. Sielaff, K. Wheeler, C. E. Mason, K. Venkateswaran, *BMC Microbiology*, 18:175, 2018

おわりに

1)『神の鉄槌（The hammer of god)』アーサー・C・クラーク・著，小隅黎，岡田靖史・訳，ハヤカワ文庫，1998
2)「Martian Yukigassen（火星の厳しい気象条件を活かした雪合戦が可能なスタジアム設計)」穂積佑亮，Mars City Design Challenges 2019, 2019
3)「持続可能な開発のための 2030 アジェンダ／SDGs」第 70 回国連総会，2015
4)「SDGs アクションプラン 2020」日本政府持続可能な開発目標（SDGs）推進本部，2019

V., Terashima C. and Fujishima A., *Journal of Photochemistry and Photobiology C*: Photochemistry Reviews, 40, 49-67, 2019

第5章

1）“The Effect of Electron Irradiation on CsF-Free and CsF-Treated CIGS Solar Cells”, I. Khatri, Tzu-Ying Lin, T. Nakada, and M. Sugiyama, *physica status solidi Rapid Research Letters*, 13（2019）1900415
2）“Optical and electrical properties of electron-irradiated Cu（In,Ga）Se_2 solar cells”, Y. Hirose, M. Warasawa, K. Takakura, S. Kimura, S.F. Chichibu, H. Ohyama, and M. Sugiyama, *Thin Solid Films* 519（2011）7321-7323.
3）“Fabrication of Visible-Light-Transparent Solar Cells Using p-Type NiO Films by Low Oxygen Fraction Reactive RF Sputtering Deposition”, M. Warasawa, Y. Watanabe, J. Ishida, Y. Murata, S. F. Chichibu, and M. Sugiyama, *Japanese Journal of Applied Physics* 52（2013）021102
4）“Polycrystalline SnO_2 Visible-Light-Transparent CO_2 Sensor Integrated with NiO/ZnO Solar Cell for Self-Powered Devices”, R. Tanuma, and M. Sugiyama, *physica status solidi*（a）, 216（2019）1800749
5）“Composite flywheels for energy storage”, J. Tzeng, R. Emerson, and P. Moy, *Composites Science and Technology* 66（2006）, 2520-2527.
6）“Durability of filament wound composite flywheel rotors”, J. Koyanagi, *Mechanics of Time-Dependent Materials*, 16（2012）71-83
7）“Time and temperature dependence of carbon/epoxy interface strength”,. J. Koyanagi, S. Yoneyama, A. Nemoto, J. Melo, *Composites Science and Technology* 70（2010）1395-1400

第6章

1）「宇宙ステーションの空気環境を創る環境制御・生命維持システム」下田隆信，Medical Gases, 16巻1号：7-12, 2014
2）「宇宙機における生命維持システムについて」桜井誠人，生物工学会誌，96（12）：681-683，2018
3）“Electrochemical Photolysis of Water at a Semiconductor

output" Shitanda, I., Morigayama, Y., Iwashita, R., Goto, H., Aikawa, T., Mikawa, T., Hoshi, Y., Itagaki, M., Matsui, H., Tokito, S. Tsujimura, S., *Journal of Power Sources*, 2021, *489*, 229533.
5) "Continuous sweat lactate monitoring system with integrated screen-printed MgO-templated carbon-lactate oxidase biosensor and microfluidic sweat collector" Shitanda, I., Mitsumoto, M., Loew, N., Yoshihara, Y., Watanabe, H., Mikawa, T., Tsujimura, S., Itagaki, M., Motosuke, M., *Electrochimica Acta*, 2021, *368*, 137620.
6) "Paper-Based Disk-Type Self-Powered Glucose Biosensor Based on Screen-Printed Biofuel Cell Array" Shitanda, I., Fujimura, Y., Nohara, S.; Hoshi, Y., Itagaki, M., & Tsujimura, S., *Journal of The Electrochemical Society*, 2019, *166* (12), B1063-B1068.
7) "A screen-printed circular-type paper-based glucose/O_2 biofuel cell" Shitanda, I., Nohara, S., Hoshi, Y., Itagaki, M., & Tsujimura, S., *Journal of Power Sources*, 2017, *360*, 516-519.
8)「体液成分の自己駆動リアルタイムモニタリング」四反田功, 辻村清也, 電気化学誌, 87 (4), 299-305 (2019).

第4章
1)「月面農場ワーキンググループ検討報告書 第1版」月面農場ワーキンググループ, 宇宙航空研究開発機構特別資料, JAXA-SP-19-001, https://www.ihub-tansa.jaxa.jp/Lunarfarming.html
2)「プラズマ発生装置、窒素源製造装置、養液供給装置、育成システム、植物栽培システム、窒素源を製造する方法及び二酸化炭素を還元する方法」特開 2017-228423.
3) "Solution plasma processing (SPP)", Takai O., *Pure and Applied Chemistry*, 80, 2003-2011, 2008
4) "Solution Plasma Process-Derived Defect-Induced Heterophase Anatase/Brookite TiO_2 Nanocrystals for Enhanced Gaseous Photocatalytic Performance", Pitchaimuthu S., Honda K., Terashima C. et al., *ACS Omega*, 3, 898-905, 2018
5) "Applications of photocatalytic titanium dioxide-based nanomaterials in sustainable agriculture", Rodríguez-González

参考文献

第1章

1）『宇宙環境利用のサイエンス』井口洋夫監修，岡田益吉，朽津耕三，小林俊一・編，宇宙開発事業団，2001
2）“The Global Exploration Roadmap”, International Space Exploration Coordination Group, January 2018
3）“Artemis: Human's Return to the Moon”, Brian Dunbar, National Aeronautics and Space Administration, 2020
4）「人類の活動領域を拡げる国際宇宙探査計画」，宇宙科学研究所，JAXA 相模原キャンパス特別公開 2019 公式リーフレット

第2章

1）“From Radiation to Isolation: 5 Big Risks for Mars Astronauts”, Kasandra Brabaw, Spaceflight 07 January, 2019
2）“Microgravity promotes osteoclast activity in medaka fish reared at the international space station”，工藤明，*Scientific Reports*, September 2015
3）「寝たきりや無重力による筋萎縮のメカニズム解明とその栄養学的治療法の開発」二川健，日本栄養・食糧学会誌，2017 年 70 巻 1 号，P.3-8
4）「ARED についての解説」金井宣茂，宇宙ステーション・きぼう広報・情報センター（JAXA）
5）「宇宙船内服開発」多屋淑子，特技懇，2010 年 257 号，P.53-56

第3章

1）“Properties of Lunar Soil Simulant Manufactured in Japan”, Hiroshi Kanamori, Satoru Udagawa, et al, *Space 98*, 1998
2）「月の未崩壊地下空洞（溶岩チューブ）の発見」郭哲也，春山純一他，宇宙航空研究開発機構，2017
3）“Toward self-powered real-time health monitoring of body fluid components based on improved enzymatic biofuel cells” Shitanda, I, & Tsujimura, S., *Journal of Physics: Energy*, 2021 in press.
4）“Paper-based, lactate biofuel cell array with high power

【ま行】

【や行】

【ら行】

【な行】

【は行】

【た行】

【さ行】

さくいん

【アルファベット】

N.D.C.443　254p　18cm

ブルーバックス　B-2172

スペース・コロニー　宇宙で暮らす方法

2021年 5 月20日　第 1 刷発行

著者　向井千秋
東京理科大学スペース・コロニー研究センター

発行者　鈴木章一

発行所　株式会社講談社
〒112-8001 東京都文京区音羽2-12-21

電話　出版　03-5395-3524
販売　03-5395-4415
業務　03-5395-3615

印刷所　（本文印刷）凸版印刷株式会社
（カバー表紙印刷）信毎書籍印刷株式会社

製本所　株式会社国宝社

定価はカバーに表示してあります。

ISBN978-4-06-523566-9

発刊のことば

科学をあなたのポケットに

二十世紀最大の特色は、それが科学時代であるということです。科学は日に日に進歩を続け、止まるところを知りません。ひと昔前の夢物語もどんどん現実化しており、今やわれわれの生活のすべてが、科学によってゆり動かされているといっても過言ではないでしょう。

そのような背景を考えれば、学者や学生はもちろん、産業人も、セールスマンも、ジャーナリストも、家庭の主婦も、みんなが科学を知らなければ、時代の流れに逆らうことになるでしょう。

ブルーバックス発刊の意義と必然性はそこにあります。このシリーズは、読む人に科学的に物を考える習慣と、科学的に物を見る目を養っていただくことを最大の目標にしています。そのためには、単に原理や法則の解説に終始するのではなくて、政治や経済など、社会科学や人文科学にも関連させて、広い視野から問題を追究していきます。科学はむずかしいという先入観を改める表現と構成、それも類書にないブルーバックスの特色であると信じます。

一九六三年九月

野間省一